D0497050

Se réaliser dans un monde d'images

Révision : Maryse Barbance
Correction : Anne-Marie Théorêt et Sylvie Massariol

Catalogage avant publication de la Bibliothèque nationale du Canada

Vézina, Jean-François

Se réaliser dans un monde d'images : à la recherche de son originalité

1. Individuation (Psychologie). 2. Cinéma - Aspect psychologique.
3. Originalité. 4. Réalisation de soi. I. Titre.

BF175.5.I53V49 2004 155.2 C2004-941410-0

DISTRIBUTEURS EXCLUSIFS :

- Pour le Canada
et les États-Unis :
MESSAGERIES ADP*
955, rue Amherst
Montréal, Québec
H2L 3K4
Tél. : (514) 523-1182
Télécopieur : (514) 939-0406
* Filiale de Sogides ltée

- Pour la France et les autres pays :
INTERFORUM
Immeuble Paryseine, 3, Allée de la Seine
94854 Ivry Cedex
Tél. : 01 49 59 11 89/91
Télécopieur : 01 49 59 11 96
Commandes : Tél. : 02 38 32 71 00
Télécopieur : 02 38 32 71 28

- Pour la Suisse :
INTERFORUM SUISSE
Case postale 69 - 1701 Fribourg - Suisse
Tél. : (41-26) 460-80-60
Télécopieur : (41-26) 460-80-68
Internet : www.havas.ch
Email : office@havas.ch
DISTRIBUTION : OLF SA
Z.I. 3, Corminbœuf
Case postale 1061
CH-1701 FRIBOURG
Commandes : Tél. : (41-26) 467-53-33
Télécopieur : (41-26) 467-54-66
Email : commande@ofl.ch

- Pour la Belgique et le Luxembourg :
INTERFORUM BENELUX
Boulevard de l'Europe 117
B-1301 Wavre
Tél. : (010) 42-03-20
Télécopieur : (010) 41-20-24
http ://www.vups.be
Email : info@vups.be

Pour en savoir davantage sur nos publications,
visitez notre site : **www.edhomme.com**
Autres sites à visiter : www.edjour.com
www.edtypo.com • www.edvlb.com
www.edhexagone.com • www.edutilis.com

Dépôt légal : 3e trimestre 2004
Bibliothèque nationale du Québec

ISBN 2-7619-1970-X

Gouvernement du Québec - Programme de crédit d'impôt pour l'édition de livres - Gestion SODEC - www.sodec.gouv.qc.ca

L'Éditeur bénéficie du soutien de la Société de développement des entreprises culturelles du Québec pour son programme d'édition.

Nous remercions le Conseil des Arts du Canada de l'aide accordée à notre programme de publication.

Nous reconnaissons l'aide financière du gouvernement du Canada par l'entremise du Programme d'aide au développement de l'industrie de l'édition (PADIÉ) pour nos activités d'édition.

Jean-François Vézina

Se réaliser dans un monde d'images

À la **recherche** de son **originalité**

Si on avait la vie qu'on rêve,
on rêverait de la vie qu'on a.

ISABELLE DELVAUX

À mon père, Yves, et à ma mère, Monique,
pour avoir écrit avec amour
les premières lignes
de mon histoire.

INTRODUCTION

Il était une fois un adolescent qui se sentait profondément désillusionné par le monde dans lequel il vivait. Il passait la plupart de son temps à jouer à des jeux vidéo dans le sous-sol de la maison de ses parents, il avait abandonné les études et commençait à se sentir sérieusement déprimé. Un soir, il tomba par hasard sur une émission de télévision qui allait marquer le cours de son existence. Il s'agissait d'une dramatique qui se déroulait dans un service d'écoute téléphonique pour personnes en détresse et qui mettait en scène des intervenants tentant de leur venir en aide. Le jeune homme fut littéralement fasciné par le sujet, au point qu'il s'engagea au sein de Tel-Aide, un organisme similaire à celui que la dramatique décrivait. C'est ainsi qu'il reprit goût à la vie et qu'il renoua avec une vocation de psychologue qu'il avait délaissée quelque temps plus tôt, s'ennuyant profondément lors des incontournables expériences sur les rats et des cours de statistiques de la psychologie traditionnelle.

Vous aurez probablement compris qu'il s'agit de mon histoire telle que je peux la raconter aujourd'hui. Au cours de mon adolescence, je flottais dans une sorte d'existence virtuelle et je cherchais réellement ma voie. Cette voie, je l'ai découverte grâce à cette émission de télévision et à mon engagement dans ce centre d'écoute téléphonique. Pendant plus de dix ans, et au fil des milliers d'heures que j'ai consacrées à écouter la vie des gens, j'ai découvert des histoires touchantes et passionnantes. J'ai notamment réalisé que, tandis que j'étais triste parce que Super Mario, mon héros d'alors, perdait une vie, se déroulaient des vies mettant en scène les vrais héros de notre époque, soit les personnes qui affrontent courageusement les problèmes réels de l'existence. Je pense ainsi à cette infirmière atteinte d'un cancer qui, chef d'une famille monoparentale, veillait à la santé de ses enfants et à leur assurer une bonne éducation avant son départ prochain. Je me rappelle aussi cet homme seul qui venait de perdre la garde de ses garçons et qui a passé une nuit de Noël avec moi au téléphone. Ou encore à ce sidéen meurtri par le jugement de ses proches et confiné à la solitude de son appartement, s'accrochant à la vie par le mince fil téléphonique.

Ce centre d'écoute était un lieu d'apprentissage tellement plus riche que le laboratoire d'observation des petits rongeurs conditionnés à trouver le plus rapidement possible les morceaux de fromage éparpillés dans leurs labyrinthes ! Il a été pour moi une fenêtre ouverte sur le monde réel. J'ai appris, entre autres choses, qu'écouter véritablement et sans juger la personne est très difficile ; que prendre le temps de sentir la tristesse de quelqu'un qui a perdu son chat sans lui proposer systématiquement toutes les adresses de la SPCA est un exercice fort périlleux. J'ai pu découvrir la richesse que représente une écoute attentive dans notre société obsédée par la communication rapide, la recherche effrénée d'émotions intenses et les solutions magiques. Apprendre à simplement écouter donnait un sens concret à ma vie, et le fait d'être écouté permettait à ces gens de redevenir le sujet de leur propre histoire – car, c'est peut-être lorsque personne ne prend le temps d'écouter véritablement notre histoire que nous en venons à nous raconter de fausses histoires sur notre vie...

Par un soir glacial de janvier, un appel m'a profondément troublé. Une femme au bord du suicide téléphona pour faire part de sa décision d'en finir. Elle regrettait tous ses choix. Elle n'avait pas épousé l'homme qui lui convenait, elle n'avait pas choisi le bon métier, elle avait toujours voulu voyager, mais, dans la soixantaine avancée, elle y avait renoncé ainsi qu'à tous ses autres rêves. Chemin faisant, elle avait développé le profond et douloureux sentiment d'être passée à côté de sa vie. Visiblement embarrassée par le fait que je m'intéressais réellement à son histoire, elle coupa brusquement la conversation puis elle raccrocha. Je n'ai jamais su ce qu'il était advenu de cette femme.

Cet appel fit écho à un questionnement profond chez moi : j'avais moi-même renoncé à mes rêves de jeunesse et à mes aspirations professionnelles, et cette femme m'amenait à examiner la question du sens de ma propre vie. En plus de contribuer à me redonner le courage de reprendre mes études en psychologie, elle m'a inspiré la question qui est à l'origine de ce livre : « Comment devenir ce que l'on est ? », pour reprendre la célèbre expression de Pindare. Une question certes ambitieuse et posée par un homme dans la jeune trentaine refusant de se laisser conditionner par l'industrie du bonheur perpétuel et des réponses manufacturées – mais une question essentielle, car, lorsqu'il est question de sens, nous sommes trop souvent gavés de réponses sans avoir même eu le temps de ressentir l'appétit qu'éveille normalement toute question. Nous vivons alors comme des Esquimaux à qui l'on vendrait des réfrigérateurs…

Dans *Les hasards nécessaires,* j'ai tenté de comprendre le sens des questions que la vie nous adresse par le biais de la synchronicité, ces rendez-vous de l'inconscient qui transforment radicalement nos trajectoires. Dans le présent ouvrage, je m'interrogerai sur le subtil processus de questionnement de l'inconscient que le psychiatre suisse Carl Gustav Jung a appelé l'*individuation* : ce long processus créatif qui, en deçà de la synchronicité, favorise l'émergence de l'originalité de chacun. Ainsi, tout au long de notre existence, nous sommes amenés à « personnaliser » l'inconscient collectif. L'écoute et l'observation attentives de nos rêves personnels et des coïncidences chargées de sens qui parsèment notre vie sont des moyens qui nous permettent de suivre notre mouvement vers l'individuation et de bâtir réellement notre mythe personnel. C'est ainsi qu'à la fin de ses jours Jung avait l'intime conviction d'avoir concrétisé le mythe de sa vie.

L'une des voies auxquelles l'inconscient collectif recourt pour nous guider au fil de notre individuation réside dans les histoires : l'âme se projette dans les mythes, les légendes, les romans et les films pour prendre conscience d'elle-même. Ces récits sont en quelque sorte de grands rêves collectifs qui reflètent et inspirent nos vies personnelles. La rencontre avec une histoire peut-elle changer une vie ? Nous tombons amoureux d'une histoire comme d'une personne, et certaines histoires changent à jamais notre façon de nous raconter notre vie. C'est aussi à la suite d'un coup de foudre avec une pièce de théâtre remarquable que j'ai eu l'idée d'écrire ce livre. Inspirée par un fait vécu, *Lentement la beauté* mettait en scène un ouvrier qui a vu sa vie transformée après avoir assisté à la représentation des *Trois sœurs* de Tchekhov.

Dans ce livre, j'aurai recours à des histoires relevant de différents types d'expression artistique (théâtre, littérature, cinéma), mais je mettrai l'accent sur la forme cinématographique, car les films sont en quelque sorte notre nouvelle mythologie. De plus, le film s'apparente à l'état de rêve. L'obscurité d'une salle de cinéma nous offre en effet un écran sur lequel nous pouvons projeter nos angoisses, nos espoirs, nos rêves et nos désirs, comme nous le faisons dans nos rêves. Nous avons tous connu ces moments magiques quand le film qui se déroule sur l'écran de cinéma est en synchronie parfaite avec le film de notre vie ; ces instants mystérieux durant lesquels nous avons l'impression que le récit nous écoute, qu'il nous regarde et nous comprend. Certes, il existe un facteur de disponibilité dans nos coups de foudre avec les films, mais je crois aussi qu'il y a des films qui nous cherchent et qui tentent de nous éveiller à quelque chose.

Je ne suis pas un critique de films ni un spécialiste de cinéma. Plutôt que d'aborder un film uniquement sous l'angle de la critique, je suggère de regarder l'*expérience* que nous avons d'un film, soit notre propre histoire par rapport à l'histoire qui nous est racontée. Cette démarche vise à faire du spectateur que nous sommes un individu actif dans l'histoire, qui se l'approprie au lieu de la subir. Mon but est d'amener le spectateur à scruter la toile de cinéma afin qu'il reconnaisse et traduise les symboles qui le fascinent et qui façonnent son processus d'individuation.

Traduire, c'est redire avec nos mots ce qui a déjà été dit, c'est reprendre l'histoire et l'intégrer consciemment à notre existence. À cet effet, je proposerai dans le premier chapitre de faire l'exercice de la filmographie personnelle. Le terme *filmographie* est habituellement réservé aux productions d'un réalisateur, mais nous sommes tous le réalisateur des films que nous regardons, au sens où nous recréons ces films dans notre tête.

Les bons films soulèvent des questions essentielles. Ils nous renvoient, mais en les formulant mieux, les questions que nous leur adressons sans le savoir. En ce sens, ils sont de véritables oracles vis-à-vis des interrogations que nous avons sur le sens de la vie. Contrairement à une théorie qui tente d'expliquer en éliminant autant que possible toute forme d'ambiguïté, les récits reflètent les inévitables contradictions des êtres humains que nous sommes. De surcroît, ils nous initient à la sagesse de l'inconscient collectif et nous aident à développer une meilleure connaissance de nous-mêmes.

Que se passe-t-il lorsque nous sommes fascinés par un film ? Nous rencontrons les archétypes, soit des fragments de réponses aux grandes questions de la vie résultant de la sagesse acquise par les humains au cours de la grande histoire de leur espèce. Le cinéma est ainsi l'un des plus puissants véhicules des archétypes susceptibles de nous offrir des repères dans l'élaboration de notre mythe personnel. Mais nous devons exercer notre esprit critique afin de jouer avec les images plutôt que de les laisser se jouer de nous... Alors que certains films apportent des réponses faciles dans une culture du divertissement qui a pour seul objectif de nous distraire de nous-mêmes, d'autres films nous regardent et osent nous poser les bonnes questions, celles qui vont nous aider à cultiver notre originalité et à exprimer notre unicité.

Bien sûr, la fonction première du cinéma est de nous distraire ; mais les films véhiculent des valeurs et recourent à des images qui sont susceptibles de nous conditionner. Pour cette raison, la culture de masse peut assommer ! Cette *industrie de la réponse* affaiblit en effet notre capacité d'inventer et de remettre en question notre vie. Le leurre collectif qu'est l'individualisme, dont la seule valeur réside dans la consommation, nous donne l'illusion que nous sommes libres parce que nous avons le choix entre différents produits ; il nous indique cependant que nous serions davantage « à la mode » si nous regardions telle émission ou allions voir tel film. Même si la plupart d'entre nous se sentent libres et indépendants, le sommes-nous vraiment ? Avons-nous réellement le choix ? Rien ne me paraît plus faux que ce mythe de l'individualisme véhiculé par l'industrie hollywoodienne. Et il est probable qu'aucun mythe de l'histoire humaine n'a eu autant d'emprise que celui-ci sur la vie des gens.

Lorsque nous consommons sans discernement cette culture du divertissement, notre imagination s'atrophie ; nous avons alors tendance à vivre progressivement notre vie par procuration en menant une existence virtuelle qui nous coupe de nos racines. Dans ma pratique quotidienne de psychologue, je constate de plus en plus souvent cette paresse de l'imagination et ce mode d'existence. Les manifestations du « syndrome » de l'existence virtuelle sont aisément observables : un sentiment chronique de vide et d'insuffisance, et l'impression de vivre à côté de sa vie ou d'en être le spectateur impuissant. Ces personnes n'ont pas de vie intérieure. Elles ne ressentent ni grands espoirs ni grands plaisirs et elles ont de la difficulté à choisir ce qu'elles veulent réellement. Incapables d'exprimer leurs préférences, de parler de leurs aspirations, d'élaborer des projets ou d'avoir le moindre engagement professionnel ou amoureux, elles semblent « flotter » au-dessus de leur vie, une vie privée de créativité et de diversité. Elles vivent dans un monde dépourvu d'atmosphère personnelle, ce qui augmente d'autant leur sentiment de désertification intérieure.

L'individuation est donc essentielle face au problème que pose l'existence virtuelle et à la difficile question de la place de tout un chacun dans un monde dominé par le mythe de l'individualisme. En visant la réalisation du potentiel virtuel de l'individu plutôt que la « virtualisation » de sa réalité, l'individuation incite l'être à se développer non pas à la façon d'un produit de consommation, mais comme une œuvre unique qui reste à créer.

Depuis la nuit des temps, l'âme tisse des histoires humaines. Pourtant, jamais deux ne seront exactement semblables. Grâce à chacun de nous, la vie a en effet la chance de répéter la même chose – mais pour la première fois... Chacune de nos histoires est une tentative qui permet au courant universel de la vie de mieux se comprendre. «Nous sommes le moyen par lequel l'Univers prend conscience de lui-même», disait l'astrophysicien Carl Sagan. Le mouvement de la vie s'enrichit ainsi de nos interrogations intimes, et surtout de la façon originale et créative avec laquelle nous y répondons. Une ancienne légende raconte que nous sommes sur terre pour retrouver une question qui aurait été cachée en nous par les dieux. Notre quête consisterait à découvrir cette question personnelle au fil des défis que nous lance la vie quotidienne, afin d'y apporter une réponse originale. Si tel est le cas, voici un livre qui, je l'espère, vous accompagnera tout au long de l'aventure essentielle et passionnante qu'est la quête de votre propre question.

CHAPITRE 1

La genèse de son mythe personnel

Dieu a créé l'homme parce qu'il aimait les histoires.

ANCIENNE LÉGENDE HÉBRAÏQUE

Tout a été dit, mais pas par moi.

GILLES VIGNEAULT

La naissance nous fait entrer dans une bien mystérieuse histoire. Nous arrivons au beau milieu d'une représentation qui a commencé sans nous, et voilà qu'à notre mort nous devrons la quitter avant la fin. Tout comme dans une salle de cinéma où nous arriverions en retard, nous allons devoir poser des questions à nos voisins pour tenter de connaître le sens de cette histoire. C'est d'ailleurs l'une des principales caractéristiques de l'enfance que de poser d'innombrables questions au sujet des mystères de la vie. Les questions spontanées des enfants révèlent une facette importante de leur originalité et sont le point de départ de leur individuation. Bien que ce type de questionnement soit universel depuis que le monde est monde, c'est tout comme si la vie attendait patiemment que chacun de nous formule de nouvelles questions et enrichisse son scénario. Einstein, par exemple, considéré comme un cancre à l'école, passa une bonne partie de sa jeunesse à rêvasser dans les vertes prairies de la Toscane pour finir par se demander un jour quel effet cela ferait si nous pouvions voyager sur une onde de lumière. Sans le savoir, il venait de poser les bases de sa future théorie de la relativité, qui allait avoir un rôle capital dans notre compréhension du monde.

Vous souvenez-vous de la question la plus importante de votre enfance? Sur quoi portait-elle? Il y a de fortes chances pour que cette question, bien souvent oubliée, concerne une partie importante de votre histoire, et que la vie ait besoin de votre réponse pour évoluer. Cette interrogation fondamentale n'est probablement pas anodine. C'est en partie sur la base de telles questions, apparemment farfelues, que se fonde notre mythe personnel. Bien que nous en oubliions souvent la forme initiale, notre interrogation première sur le monde jette les bases de la quête de notre place dans la grande histoire de la vie.

Jean-François Champollion, de son côté, en s'amusant avec de mystérieuses petites statuettes dans le bureau de son mentor, Charles Fourrier, ne pouvait imaginer à quel point sa curiosité à leur égard allait avoir une importance dans sa vie et dans notre connaissance du monde. La question de la signification des hiéroglyphes n'avait pas de sens à l'époque, étant donné le manque total de connaissances sur le sujet et l'absence de ressources pour financer des recherches. Champollion eut toutefois la chance de trouver sur son chemin quelqu'un qui sut percevoir ce qui se cachait derrière sa question. Fourrier donna au jeune homme l'occasion de développer la vocation qui germait en lui et qui dépassait la simple curiosité. Champollion consacra ainsi sa vie à une interrogation apparemment anodine et, à la suite de la découverte de la pierre de Rosette, arriva à déchiffrer une grande partie des hiéroglyphes. Une question personnelle que l'on a le courage de poser au bon moment et qui trouve une oreille attentive est tout comme une graine semée dans une terre fertile.

Les interminables questions des enfants, on le sait bien, embêtent les adultes trop souvent occupés à donner des réponses hâtives et définitives. Pourtant, la façon dont l'adulte enseigne à l'enfant à aborder les énigmes de la vie a une influence considérable sur ses futures facultés d'adaptation et sur la découverte de son rôle dans la société. C'est en bonne partie par l'adulte que l'enfant apprend à développer sa curiosité. C'est l'adulte qui, le premier, prend soin du précieux désir de l'enfant voulant découvrir et comprendre le monde. Pour pouvoir se sentir libre de formuler les questions essentielles, l'enfant a besoin de temps, de stimulation et d'écoute, non de réponses froides et rapides. Il a besoin de sentir que sa question a de la valeur, qu'elle mérite de l'attention. Autrement, privé de cette possibilité d'interroger, l'enfant sera davantage porté à accepter toutes sortes de réponses toutes faites, à adopter des rôles qui ne lui conviennent pas et ainsi à perdre contact avec la richesse que représente sa curiosité personnelle.

La question d'Amélie Poulain

«Dis-moi, papa, si tu retrouvais une chose de ton enfance à laquelle tu tenais comme un trésor, ça te rendrait comment? Heureux, triste ou nostalgique?» Le père d'Amélie Poulain[1], trop occupé à fixer son nain de jardin, n'a jamais véritablement écouté les questions d'Amélie. Cette interrogation au sujet d'un trésor caché et la réponse du père font ainsi écho à la propre enfance de la jeune fille. Celle-ci avait en effet dû vivre son enfance en vase clos et en retrait de la société, à cause d'une prétendue faiblesse cardiaque: des battements de cœur accélérés causés par le si rare contact intime avec son père médecin lors de l'examen médical qu'il lui imposait chaque année. Devant un père indifférent aux émotions des autres et qui n'écoutait son cœur qu'à travers un stéthoscope, Amélie s'est construit un monde imaginaire et évolue à présent dans une sorte d'existence virtuelle. Elle sort à l'occasion pour prendre des photos de

1. En référence au film de Jean-Pierre Jeunet, *Le fabuleux destin d'Amélie Poulain*, 2001.

nuages à partir desquelles elle imagine une multitude de formes, mais elle se fait tromper par un de ses voisins qui lui fait croire que ses images créent des catastrophes. En regardant les informations à la télévision le soir, elle croit apprendre que ses photos ont engendré un accident de voiture, ont fait dérailler un train et ont provoqué l'écrasement d'un avion. Notons ici le thème marquant qui se répète dans son histoire : la vie qui bat en elle peut être dangereuse, son désir et ses rêves risquent d'engendrer des catastrophes, la petite fille qu'elle représente n'est pas convenable.

À l'âge adulte, il faudra à Amélie la mort d'une princesse pour qu'elle se décide à amorcer sa renaissance. Une princesse qui est justement tuée par les images des paparazzis qui la traquent. Il s'agit de la célèbre Lady Di. Ce drame est nécessaire à Amélie pour reprendre contact avec le trésor qu'elle garde enfoui au fond d'elle-même et entreprendre sa quête vers l'autre : alors qu'elle apprend avec stupeur la mort de la princesse à la télévision, le petit capuchon du flacon de parfum qu'elle tenait à la main se fracasse contre la paroi du mur. De l'autre côté de ce mur, Amélie, fascinée, fait la découverte d'une petite boîte de jouets appartenant à un enfant ayant habité là de nombreuses années auparavant. Elle entreprend alors de retrouver le propriétaire de ce fabuleux trésor, déclarant à son sujet : « Si ça touche le propriétaire, je commence à me mêler de la vie des autres. » Entendons ici : « Si je trouve quelqu'un qui sait reconnaître la valeur de ce trésor, soit ma valeur, je m'ouvrirai aux autres. »

Au fil de son processus d'individuation, Amélie rencontre plusieurs personnages qui l'aident à passer d'un état où elle était fermée à l'intimité à un état où elle s'ouvre à l'autre. Cette quête commence par la recherche du propriétaire de la boîte, monsieur Bretodeau, un père de famille séparé qui mène une vie morne et répétitive, et qui éprouve des remords à cause de la distance qu'il a mise entre sa fille et lui. Au début, Amélie n'arrive pas à prononcer correctement le nom de cet homme. Dans une phase de découragement, elle fait la rencontre d'un peintre, un voisin qu'elle n'avait encore jamais remarqué.

Cet «homme de verre», appelé ainsi à cause de la fragilité de ses os, ne sort pas de chez lui et passe ses journées à reproduire mécaniquement une toile de Renoir. Il bute particulièrement sur une partie du tableau, soit le visage de la fille tenant un verre d'eau. Ce personnage incarne une partie de l'ombre d'Amélie, soit la facette d'elle-même qui a peur de se casser et qui s'est complètement fermée au monde. L'homme de verre symbolise celui qui n'a pas encore pris conscience de sa véritable créativité et qui n'a pas défini son identité, celui qui doit avoir recours à une caméra extérieure pour percevoir le temps qui passe[2]. Mais il a aussi une fonction de *trickster*[3], soit le personnage qui remet en route l'histoire lorsque celle-ci est bloquée. Le peintre débloque la quête d'Amélie en l'aidant à rétablir symboliquement une bonne image du père. Grâce à l'homme de verre, elle peut finalement nommer correctement la personne qu'elle recherche et ainsi la retrouver. Elle remet alors la précieuse boîte à cette personne par le biais d'une cabine téléphonique : tandis que Bretodeau, devenu maintenant une grande personne, se promène dans la rue, il se sent interpellé par le téléphone qui sonne au moment où il passe tout près d'une cabine. Il y entre et c'est alors qu'il fait la surprenante découverte qui le touche profondément et qui transforme son existence : les jouets de son enfance ; à la suite de sa trouvaille, lui qui menait une vie répétitive, monotone et solitaire reprend contact avec sa fille. Ce jour-là, Amélie éprouve un immense bonheur, un sentiment de relation intime avec le monde, le sentiment que tout *a* sa place, que tout *est* à sa place. Elle décide alors qu'elle va désormais se mêler de la vie des autres. Dans sa nouvelle vie, le premier personnage qu'elle aborde est un aveugle qu'elle aide à se déplacer dans la ville. Un homme qui peut symboliser l'état de son animus, soit sa partie masculine fragilisée par un père qui, justement, demeure aveugle à la véritable valeur d'Amélie.

2. L'homme de verre a en effet recours à une caméra pour filmer le temps qui passe, comme si sa vie devait *passer* par le filtre d'un médium extérieur à ses sens.
3. Le *trickster* est une figure archétypale associée au changement, un personnage qui vient introduire du mouvement dans un récit bloqué.

Sa quête la conduira ensuite vers Nino, un jeune homme qui gagne sa vie de deux façons : en travaillant dans un club de location de films pornographiques et en incarnant un fantôme dans un manège. À sa façon, Nino a aussi de la difficulté à entrer en relation avec les autres. Enfant retiré, tout comme Amélie, il collectionne les photos jetées par les gens aux alentours des photomatons de Paris. On peut supposer qu'il a, quant à lui, une image de la femme à développer. Deux éléments en témoignent : sa difficulté à s'engager et la présence d'une anima primitive symbolisée par l'univers pornographique dans lequel il évolue. Amélie entre en relation avec Nino grâce à l'album de photos que celui-ci avait perdu. L'ayant retrouvé, elle entreprend alors de le rendre à son propriétaire dont elle est en réalité déjà profondément amoureuse. Au début, Amélie a de la difficulté à approcher vraiment Nino. Elle invente une foule de stratagèmes pour éviter un réel contact. Puisqu'elle n'a pas encore confiance en sa propre image, Amélie se montre à Nino au moyen d'une photo sur laquelle elle porte un masque de Zorro renvoyant à la persona : c'est le masque qui la protège du monde, mais qui l'isole aussi des autres.

Dans le film, Nino est associé au fantôme. On peut penser que c'est parce que Amélie n'a pas encore de représentation réelle de la masculinité. Une scène montre en effet Nino s'approchant d'Amélie dans un manège, déguisé en fantôme. L'animus d'Amélie, faute de ne pas avoir eu de soutien réel pour se développer, doit s'inventer de manière imaginaire. Amélie est d'ailleurs aussi intriguée par plusieurs autres photos de l'album ; celles d'un personnage qu'elle décrit justement comme un fantôme. Elle imagine qu'il revient une fois par mois pour montrer qu'il a bien existé. La découverte de la véritable identité de ce personnage permettra à Amélie de faire tomber les fausses images qu'elle a d'elle-même. Elle apprend en effet qu'il ne s'agit pas d'un fantôme, mais d'un homme qui exerce un métier bien concret… C'est lui qui sera l'agent de liaison entre elle et Nino. Il est celui qui permet la transformation d'une image de soi virtuelle en une image de soi fondée sur la réalité. L'image d'Amélie qui créait des catastrophes, c'est-à-dire l'image de l'enfance, se trouve ainsi transformée par celui qui, justement, a un rapport très étroit avec les images ratées... Amélie trouve alors le courage de franchir la porte qui la sépare de l'autre et ouvre finalement son cœur fragile à Nino. Après que le nouveau couple se sera formé, tous les personnages retrouveront leur créativité. Le peintre parviendra à peindre le visage de la jeune fille et il osera donner un nouveau style à ses peintures. Monsieur Bretodeau passera plus de temps avec sa fille et le père d'Amélie délaissera son nain de jardin et partira en voyage.

Une image qui vaut mille maux...

La question banale d'Amélie au sujet d'un trésor caché réveille en nous une interrogation de nature essentielle : comment construire notre valeur personnelle et notre originalité lorsque nous n'avons pas été suffisamment reconnus ? Et comment entrer en relation avec le monde sans être brisés par les autres et nous sentir écrasés par le poids de la réalité ? La peur d'être « cassé » par l'autre et la fuite dans une existence virtuelle, comme le met en scène *Le fabuleux destin d'Amélie Poulain*, sont des thèmes clés de notre époque caractérisée par l'individualisme.

Ce film nous rappelle que dans la solitude le sujet ne peut pas se construire. L'individuation n'est pas l'individualisme, elle passe nécessairement par l'autre. Nous avons besoin des autres pour mettre en mouvement la question intime qui structure notre individuation, à défaut de quoi celle-ci demeurera une interrogation virtuelle sans possibilité de réponse. Pour connaître notre valeur, nous devons courir le risque de faire partie d'une histoire réelle, de nous montrer au monde, car *si nous ne courons pas le risque d'entrer en relation avec l'autre, nous sommes voués à errer comme des fantômes dans l'abîme des possibles.*

Le processus d'individuation

C'est ce que Jung a appelé le *processus d'individuation*, un processus qui nous permet de ne pas sombrer dans une existence virtuelle. Pour aborder plus spécifiquement ce concept, qui est central dans sa pensée, nous devons retourner aux observations que le psychiatre suisse a tirées de la vie de ses patients, ainsi qu'à l'exploration qu'il a faite des mythes et du domaine de l'alchimie. C'est en observant le processus d'organisation du chaos initial en un ordre émergent qu'il en est venu à l'idée de l'existence d'un centre organisateur dans la psyché. L'idée de base qui sous-tend le concept d'individuation est que la forme extérieure de la personnalité n'est que le reflet d'un processus qui est d'abord intérieur et invisible: «La croissance de la personnalité se fait à partir de l'inconscient[4]», écrit Jung, qui nomme le centre inconscient le *Soi*:

> Le Soi représente le but de l'homme entier, à savoir la réalisation de sa totalité et de son individualité, avec ou contre sa volonté [...]. Dans la mesure où [ce processus (le Soi)] se déroule en règle générale de façon inconsciente, ainsi qu'il l'a toujours fait, il ne signifie ni plus ni moins que la transformation d'un gland en chêne, d'un veau en vache, d'un enfant en adulte[5].

La définition que Jung donne du processus d'individuation est la suivante:

> C'est le processus de formation et de particularisation de l'individu; plus spécifiquement de l'individu psychologique comme être distinct de l'ensemble de la psychologie collective. L'individuation est donc le processus de différenciation qui a pour but de développer la personnalité individuelle[6].

Il compare l'individuation à la démarche des alchimistes qui devaient transmuter la matière vile, des excréments ou du plomb, en or. Notre matière vile, ce sont ces événements qui se sont accumulés au fil de notre existence et que nous n'avons pas transformés, c'est-à-dire personnalisés. Que l'on songe ici particulièrement aux événements que l'on n'ose pas «sentir», ceux qui nous sont désagréables, juste-

4. Carl G. JUNG, *Les racines de la conscience: Étude sur l'archétype*, Paris, Buchet/Chastel, 1971, p. 280.
5. Cité par Élie HUMBERT, *C. G. Jung*, Paris, Éditions Universitaires, coll. Presses Pocket, 1991, p. 125. Cette citation indique que Jung considérait le Soi à la fois comme un but et un processus.
6. Carl G. JUNG, *Les types psychologiques*, Genève, Librairie de l'Université, Georg & Cie, 1958, p. 450.

ment. Ces contenus non traités se logent quelque part dans l'inconscient, où ils forment une sorte de magma indifférencié. Au cours de notre vie, une foule d'événements surviennent aussi, dont une bonne partie demeure à l'état brut. Nous les accumulons si bien que nous nous retrouvons bientôt avec des kilomètres de bobines de film non traités. À un moment ou à un autre de notre existence, ces contenus ressurgiront, notamment lorsque nous regarderons certaines scènes de films qui font écho à cette matière brute.

Le travail psychologique auquel nous conduit le processus d'individuation doit donc passer par un travail de transformation de ces images indifférenciées, un travail de montage qui, seul, peut nous permettre de retrouver le film original de notre histoire. Je pense par exemple à ce client qui a été fortement touché par *Le fabuleux destin d'Amélie Poulain*. Chaque fois que nous parlions de ce film en thérapie, il éclatait en sanglots. Nous avons progressivement pu mettre des mots sur cette peine et comprendre que cet homme vivait dans la peur continuelle du jugement des autres. N'ayant jamais eu le sentiment d'être reconnu pour ce qu'il était, il a vécu sa vie comme l'homme de verre du film. Il était lui-même peintre et, comme il avait peur d'exprimer son originalité, il reproduisait mécaniquement des natures mortes au lieu de laisser place à sa créativité. La peine est venue réactiver en lui la question essentielle de l'expression de soi. Progressivement, cet homme s'est laissé aller à peindre de façon plus libre en mettant de côté le jugement des autres et en s'amusant simplement avec les couleurs, ce qui l'a conduit à découvrir un espace intérieur qu'il ne soupçonnait pas.

La table de montage psychique

Un espace intérieur est nécessaire afin de pouvoir entrer en relation avec le monde sans se sentir écrasé. Cet espace nous permet d'aborder, de traiter et d'intégrer n'importe quel contenu à l'œuvre dans notre vie. Sans cette table de montage psychique que représente la *symbolisation*, le monde extérieur serait écrasant. Avec la création de cet espace intérieur riche et propre à accueillir le monde, nous développons une plus grande acceptation du réel et de nos limites. La délimitation de l'être au moyen d'épreuves permet une meilleure intimité avec soi. Limite et intimité sont d'ailleurs de proches parentes. On ne peut être intime avec soi ou avec l'autre sans connaître ses propres limites. La limite qui se vit à travers une épreuve scelle le temps en bloquant un retour au passé, elle pousse l'enfant vers l'adulte et lui signifie qu'il ne pourra plus jamais revenir en arrière.

L'individuation se fait donc par le biais d'épreuves qui doivent être transformées par l'individu. Les événements traumatisants qui créent des avants et des après, tels un échec financier, une rupture amoureuse, la perte d'un emploi ou la maladie, et qui jalonnent le processus d'individuation, façonnent l'être, lui donnent un contour et ouvrent un espace en son centre. Les initiations que favorise l'individuation permettent au moi de cesser de s'étendre à l'infini.

L'individuation en question : lien, fonction, sens

Le processus d'individuation est unique pour chacun. Mais selon Jung, il s'articule autour de thèmes communs à l'espèce humaine, d'où l'intérêt de scruter les mythes et les histoires qui fascinent et façonnent notre psyché. Depuis la nuit des temps, la nature crée des flocons de neige en obéissant à la contrainte des six pointes ; pourtant, jamais deux flocons ne seront identiques. De même, la vie humaine se répète, mais elle se renouvelle aussi dans l'histoire de chacun. Nous devons trouver notre originalité en partant des enjeux universels et d'un arrière-plan commun.

En regard de l'individuation, les thèmes du *lien* à l'autre, de la *fonction* sociale et du *sens* sont des aspects incontournables et universels, auxquels nous devons tous faire face afin de les personnaliser. Les deux pivots du bonheur, selon Freud, seraient liés aux questions de la fonction et du lien, soit le travail et l'amour. Le travail, c'est-à-dire notre fonction sociale dans le monde, et l'amour, c'est-à-dire notre capacité à nous lier.

La question concernant le lien – soit aimer et s'aimer, entrer en relation avec l'autre, fonder ou non une famille, rechercher de véritables amis – compte parmi les questions essentielles de notre existence. La montée de l'individualisme constitue toutefois un obstacle majeur à l'élaboration de réponses satisfaisantes dans le monde d'aujourd'hui. L'individualisme est le symptôme de notre incapacité à trouver des réponses satisfaisantes à la question du lien à l'autre. Dans ce contexte, c'est la culture, par exemple le film *Le fabuleux destin d'Amélie Poulain*, qui nous offre des voies de réflexion riches.

Les questions tournant autour de notre fonction et de notre rôle dans la société demeurent fondamentales. En voici quelques exemples : quelle est ma place dans le monde ? Quels talents et quelles caractéristiques ai-je développés et suis-je prêt à offrir aux autres ? Comment choisir un métier dans une société de plus en plus technologique ? L'ambition démesurée et le culte de la performance sont une perversion et une déformation de la question essentielle de la fonction. Un film de science-fiction comme *La matrice*, qui questionne notre rapport aux machines, ou un film comme *La société des poètes disparus*, qui souligne l'importance qu'il y a à développer un point de vue personnel et à l'offrir au monde, peuvent être des œuvres très éclairantes vis-à-vis de ce type de questionnement.

Les questions portant sur le sens des choses sont aussi essentielles : relier sa vie, sentir que nous faisons partie d'un univers qui nous transcende comptent aussi parmi les enjeux principaux de l'individuation, d'autant que nous avons collectivement délaissé la religion. Le besoin de sens est devenu primordial : « Le déclin de la religion se paie en difficulté d'être soi », disait Marcel Gauchet[7]. Dans ce contexte, une notion comme la synchronicité permet de tisser un fil qui nous relie au monde en nous préservant de toute forme de dogme. Elle ouvre la voie à une spiritualité propre à la mythologie de chacun.

En regard de cette question, la filmographie du réalisateur polonais Krzysztof Kieslowski, notamment *La double vie de Véronique* et *Rouge*, offre des pistes de réponses intéressantes.

---

7. Cité par Jacques ARÈNES, *Souci de soi et oubli de soi*, Paris, Bayard, 2002.

Sa vie en deux actes

Selon Jung, tout comme la course du soleil comporte une montée et une descente, l'œuvre que représente chacune de nos existences comprendrait deux grandes périodes.

Au premier acte, lors de la première moitié de la vie, les thèmes dominants concernent le lien à l'autre et la fonction sociale. Les enjeux principaux consistent à négocier avec les demandes des parents et de la société dans les sphères de l'éducation, du travail et des relations intimes, et d'arriver à nous former un Je capable de s'adapter et de répondre à nos besoins sans dépendre totalement des autres. Cette période est donc propice pour élaborer une identité solide qui sera en mesure de faire face aux demandes des mondes intérieur et extérieur, une sorte de *moi héroïque*. Le héros est celui qui a développé son intelligence, tant rationnelle qu'émotionnelle, et qui a recours à des mécanismes de défense souples mais efficaces. Il fait face aux obstacles et en tire une leçon, il sait saisir les occasions suscitées par les hasards nécessaires de la vie. Pour répondre à ces demandes, l'inconscient donne forme à diverses facettes de la psyché: un moi, soit le centre de notre conscience; l'anima/animus, c'est-à-dire la partie féminine en l'homme et la partie masculine en la femme; enfin, la persona, le masque social qui nous permet de nous adapter aux autres.

C'est au moment de la crise de l'adolescence, lorsque nous remettons en question les valeurs que nous avons reçues, que se posent les questions suivantes: quelle fonction vais-je occuper dans la société? Avec qui vais-je vivre mon mythe? Vais-je fonder ou non une famille? Comment puis-je développer l'intimité avec moi-même et avec l'autre? Ce sont là les questions typiques de cette période. Le défi que nous adresse cette première partie de la vie est donc de faire face à notre monde intérieur (anima et animus) autant qu'au monde extérieur vis-à-vis duquel nous disposons du filtre de la persona. La persona, ce masque social qui protège le moi, peut aussi l'isoler et le plonger dans la confusion. La persona, c'est au fond ce que l'on n'est pas réellement, mais ce que les autres croient que l'on est. Ces thèmes seront développés en détail dans les chapitres 2, 3 et 4.

Au second acte, selon Jung, vers quarante ans commence généralement la seconde moitié de la vie. Cette étape est souvent génératrice de questions concernant le sens, telle : qu'est-ce que le Soi attend de moi ? Cette période donne lieu à des crises : crise de la quarantaine, épuisement professionnel, etc. Elle est aussi propice pour amorcer une réflexion sur nos valeurs concernant l'argent, le temps et la vieillesse. Nous devons alors faire face à nos limites devant la maladie et, ultimement, devant la mort. Le thème du sens devient primordial : pourquoi est-ce que je fais ce que je fais ? Quel sens cela a-t-il ? De profondes remises en question ont souvent lieu à ce moment-là, car ce qui a été mis dans l'ombre réapparaît et cherche à voir le jour. Nous réévaluons ce qui nous a permis de nous adapter jusque-là, et nous réalisons que ce qui avait un sens avant n'en a plus nécessairement aujourd'hui ; notamment parce que nos réponses datent de notre adolescence. C'est durant cette période que nous les avons développées, en prenant position vis-à-vis des valeurs de nos parents ; or, vers la quarantaine, nous avons pris du recul et sommes capables de regarder de l'extérieur notre propre système de valeurs ; c'est pourquoi il peut nous paraître désuet.

Pour trouver des éléments de réponses aux questions que nous nous posons, l'inconscient tente de donner la parole à l'ombre et au Soi. L'ombre est tout ce à quoi nous devons renoncer pour nous adapter, tandis que le Soi est le centre de la psyché ; parvenir à la réalisation du Soi est le but de l'individuation. Les chapitres 5 et 6 seront consacrés à ces questions.

Les repères offerts par l'inconscient

Heureusement, nous ne sommes pas seuls dans notre quête. Notre culture nous propose des repères collectifs sous la forme d'archétypes, qui apparaissent notamment dans les films, tout simplement parce que, comme nous ne sommes pas les premiers à nous poser ces questions, l'inconscient collectif dispose déjà de fragments de réponses : ceux de nos ancêtres qu'il a gardés en mémoire. Ces repères sont donc à même de nous nourrir et d'orienter nos actions.

Dans la mesure où ces contenus demeurent inconscients, nous pouvons considérer que l'inconscient collectif agit dans notre vie et domine nos existences malgré nous.

Les *archétypes* s'apparentent donc à des fragments de réponses qu'il nous appartient de personnaliser, un peu comme des vêtements que nous devrions ajuster à notre corps : ils dominent notre histoire tant que nous les ignorons, mais, dès que nous entreprenons un dialogue avec eux, ils nous permettent d'être créatifs. Ils influencent ainsi nos perceptions et nos actions sur le plan tant personnel que collectif, et ont un impact sur nos pensées, nos émotions et le développement de notre personnalité. Les archétypes sont des idées de fond qui sont reprises par les films, notamment, et qui structurent nos vies.

Le problème de la société occidentale actuelle est qu'elle les ignore et privilégie uniquement l'apparence des choses. Notre monde symbolique s'atrophie ainsi au profit d'un univers purement rationnel, ce qui contribue à renforcer un mode de vie inconscient régi par les archétypes. Or, lorsque nous ne parvenons pas à symboliser ce qui nous arrive, à nous situer dans le monde d'images qui nous environne en étant relativement conscients de l'influence de ces archétypes, cela a des conséquences importantes sur la nature de notre adaptation ; nous ne vivons plus alors que pour ce qui est tangible : l'argent, les biens matériels, le statut social. Un tel contexte est de plus favorable à l'apparition de symptômes tels que les compulsions et les répétitions inconscientes. Qui plus est, nous perdons le contact avec les archétypes qui sont sous-jacents aux images. Il est heureusement possible de reconnaître les archétypes grâce aux histoires qui nous sont racontées. « L'inconscient se sert de la fiction pour faire faire ses commissions », dit très justement Vincent dans la série télévisée *La vie la vie*[8].

8. Écrite par Stéphane BOURGUIGNON, Société Radio-Canada, 2001 et 2002.

Des illusions nécessaires

Depuis la nuit des temps, donc bien avant la création du cinéma, nous nous sommes expliqué le monde au moyen d'histoires. Pour cette raison, celles-ci sont loin d'être des illusions inutiles. En fait, une histoire n'est ni plus ni moins que la mise en mouvement d'une question philosophique, et l'inconscient privilégie le recours aux histoires pour mettre en scène les questions essentielles de la vie. Les histoires sont donc un moyen fascinant mis à notre disposition pour aborder ce qui nous préoccupe profondément.

Dès notre plus tendre enfance, nous avons su que les histoires qui nous étaient contées avant que nous allions nous coucher apaisaient nos craintes à l'approche de la nuit. Aujourd'hui comme alors, chaque nuit dans nos rêves, notre inconscient crée des personnages et invente des histoires afin de symboliser nos préoccupations du moment. Parallèlement, l'inconscient collectif crée des légendes, des mythes, des romans et des films qui nous inspirent. Si, durant notre enfance, la fonction principale des histoires était de nous endormir et de nous faire rêver, à l'âge adulte, elle est de nous éveiller.

Les contes des *Mille et une nuits*

C'est le propre du récit que de fournir un soutien à nos questions intimes sans en épuiser toutes les possibilités. La dimension d'aide des histoires est bien illustrée par les contes des *Mille et une nuits*[9]. Le récit débute avec l'histoire d'un roi qui s'ennuie quelque peu dans la vie et qui décide un jour de rendre visite à son frère habitant loin de son royaume. Ce roi incarne en quelque sorte celui qui, ayant atteint tous ses objectifs de vie (royaume, femme, enfants, richesse), ressent tout de même un vide, une lassitude diffuse, un roi souffrant d'épuisement professionnel, dirait-on de nos jours... Mais un événement vient le sortir de sa torpeur. Alors qu'il est en visite chez son frère, il apprend de celui-ci que sa femme l'a trompé avec un esclave. Cette

9. Eddine BENCHEIKH et André MIQUEL, *Les mille et une nuits*, Paris, Gallimard, 1991.

nouvelle le plonge dans une crise sans précédent. Fou de rage, il retourne en hâte dans son royaume et fait exécuter sur-le-champ sa femme et tous ses serviteurs. Ce crime passionnel ne fait qu'accentuer son sentiment de vide. Rongé par la solitude et le manque, il exige bientôt que chaque vierge du royaume vienne à ses côtés et satisfasse son appétit sexuel. Il la tue ensuite au petit matin. Il fait cela jusqu'à ce qu'il soit impossible de trouver de nouvelles jeunes filles dans le royaume. C'est alors que se présente Schéhérazade, une femme très cultivée, qui entreprend de lui raconter une histoire. Mais pour s'assurer de rester en vie quand arrive la fin de la nuit, elle ne termine jamais son histoire, si bien qu'elle continue de la raconter pendant mille et une nuits. Finalement, le roi guérira de sa compulsion, et l'ordre reviendra au sein du royaume.

Ce récit illustre l'un des rôles essentiels des histoires dans notre vie: nous permettre de développer notre créativité dans l'écriture de notre propre histoire et, ce faisant, nous initier à la vie. Au début de son épreuve, le roi réagit par le déni et la compulsion, ce que nous faisons tous lorsque survient un événement que nous ne parvenons pas à intégrer à notre histoire. Nous tentons de l'oublier et de faire «comme si de rien n'était». Mais en agissant de la sorte, nous bloquons notre créativité et notre histoire se trouve interrompue, car la scène qui n'a pas été intégrée continue de nous hanter inconsciemment: nous répétons pour éviter de nous souvenir, disait si justement Freud à ce sujet.

Pourquoi les histoires de Schéhérazade ont-elles aidé le roi? Parce qu'elles lui rappellent le souvenir de sa blessure d'une façon qui n'est pas menaçante pour lui. Elles permettent au roi de reprendre contact avec son imagination et sa créativité, qu'il pourra dès lors mettre à profit pour donner du sens à son histoire. Schéhérazade représente la créativité issue du Soi, cette force qui nous permet de traverser les pires épreuves de la vie.

Quelles ont été nos Schéhérazade? Quelles sont les histoires et les rencontres qui ont donné vie à notre questionnement intime et qui ont réveillé notre créativité endormie par les réponses toutes faites de notre société de consommation? Ces Schéhérazade se rapprochent de ce que l'ethnologue Boris Cyrulnik a nommé les *tuteurs de résilience*[10], à savoir les personnes qui ont une importance capitale dans notre capacité de donner un sens à notre vie. En effet, pour que notre question ait du sens, elle doit passer par la reconnaissance de quelqu'un qui nous écoute réellement, quelqu'un qui se montre attentif à notre questionnement et qui facilite l'émergence de notre réponse originale, car *on se lit mieux lorsqu'on se lie*...

Une Schéhérazade de notre temps

Anique avait cinq ans lorsque sa vie a basculé. Ce jour-là, elle incitait sa petite amie à traverser la rue. Mais au moment où la fillette s'avançait sur la chaussée, une voiture la heurta violemment et la tua sur le coup. Ce traumatisme a engendré un tourbillon de questions dans la tête d'Anique: «Pourquoi c'est elle qui est morte alors que c'est moi qui ai eu l'idée de traverser?» Les «pourquoi» à un tel drame demeurent sans réponse sur le plan rationnel. Seule l'activité de symbolisation permettant de donner un sens à son histoire pourra sauver Anique de l'abîme qu'a créé en elle la culpabilité causée par cette mort.

C'est précisément ce que son inconscient a saisi en mettant à profit, un an plus tard, un objet qui devait favoriser l'émergence de sens dans son histoire, qui était bloquée depuis l'accident. Anique reçut alors en cadeau, de la part de l'une de ses tantes, une machine à écrire. La machine à écrire, présent assez inhabituel pour une petite fille de six ans, fut en quelque sorte un présent synchronistique: un objet qui lui a fourni l'occasion de donner un sens à un événement absurde, soit la mort de son amie.

Même si nous ne le remarquons pas toujours, nous avons probablement tous reçu, au cours de notre vie, un tel objet; bien qu'offert apparemment par hasard, cet objet semble tomber à point, car il nous permet de répondre au moins partiellement à la question fondamentale qui nous hante et à la

10. Boris Cyrulnik, *Le murmure des fantômes*, Paris, Odile Jacob, 2002. La résilience désigne la propriété qu'ont les matériaux de reprendre leur forme après un choc. Le terme est utilisé par l'auteur de manière métaphorique.

nécessité où nous sommes d'y trouver un sens. De cette façon, les cadeaux synchronistiques peuvent nous révéler notre vocation et nous indiquer le sens que nous devons donner aux interrogations qui nous habitent depuis l'enfance.

En plus de ce cadeau, il y eut deux tuteurs de résilience dans la vie d'Anique. D'abord, cette tante qui crut en elle et qui l'encouragea toute sa vie à écrire. Puis, la femme qui lui apprit à écrire en première année. Cette enseignante, qui fut particulièrement significative, était d'ailleurs, comme par hasard, la mère de son amie décédée… Grâce à ces tuteurs de résilience, Anique a pu donner un sens à son histoire. Ce défi n'était pas facile à relever, car, comme dans le cas de Schéhérazade, la mort planait au-dessus de la tête de la petite Anique. De nombreux décès jalonnèrent son existence. Mais en écrivant et en racontant des histoires, elle intégra progressivement le traumatisme qu'elle avait vécu à son histoire de vie et survécut.

Anique fit de sa question une vocation. La machine à écrire agit comme un révélateur, mais ce n'est qu'à la mort de sa tante qu'Anique, alors âgée de 29 ans, a vu sa vocation d'écrivain prendre une forme tangible. Lors des funérailles, elle retrouva la mère de son amie décédée, son enseignante de première année. Anique lui fit part de l'énorme sentiment de culpabilité qu'elle éprouvait. Celle-ci la prit alors dans ses bras : « Ma pauvre chouette, je ne peux pas croire que tu as grandi avec ça ! » lui dit-elle. Ces mots furent libérateurs. Quelques jours après cette rencontre, Anique prit son envol et entreprit la rédaction d'une trilogie romanesque qui connut un très grand succès[11] et qui changea sa vie, ainsi que celle de milliers d'autres.

Ce qu'il y a de plus fascinant dans cette histoire, c'est qu'Anique aide aujourd'hui des centaines d'adolescents et d'adolescentes grâce à ses livres. Alors qu'elle avait le sentiment d'avoir fait traverser son amie du côté de la mort lorsqu'elle était toute petite, elle fait maintenant traverser bien des jeunes du côté de la vie. La correspondance

11. Anique POITRAS, *Le roman de Sara*, Montréal, Québec Amérique, 2000.

qu'elle reçoit en témoigne : beaucoup de jeunes qui ont voulu s'enlever la vie lui écrivent qu'ils ont trouvé un sens à leur existence grâce à ses livres.

L'histoire d'Anique illustre comment nos traumatismes, lorsqu'ils sont symbolisés et intégrés, peuvent offrir des pistes de réponses aux questions des autres. En sachant transformer l'absurdité de la mort en réponse créative, Anique a pu donner du sens à sa vie et inspirer les autres. Tout comme Schéhérazade, elle met maintenant à leur disposition des histoires qui les touchent et qui fournissent des voies de réflexion à leur propre quête de sens.

Ces films qui nous regardent

Nos Schéhérazade peuvent aussi prendre la forme d'histoires ; si personne n'écoute notre question et ne nous aide à débloquer notre créativité au bon moment dans la vie, les histoires peuvent le faire. Les plus belles sont celles qui nous écoutent, celles qui nous aident à faire la liaison avec les parties meurtries de nous-mêmes.

Les histoires qui nous marquent ont une étroite relation avec notre question personnelle, ce qui nous préoccupe intimement. Ce qui laisse une *marque*, l'expression le dit bien, c'est ce qui s'écrit en nous, c'est le récit qui continue en nous. Pour cette raison, une façon intéressante de découvrir la question qui nous habite, et à laquelle s'articule notre individuation, consiste à rechercher des récits qui ont laissé une trace en nous. Vous souvenez-vous de l'histoire qui vous a le plus touché ? Quels ont été les films qui vous ont façonné ? Quand les avez-vous vus ? À quels angoisses et questionnements inconscients ces films faisaient-ils écho ? Faire cet exercice en regard de l'enfance peut s'avérer particulièrement fructueux, mais il est aussi intéressant de le faire en regard de l'adolescence et de l'âge adulte, et de toute autre étape importante de la vie. Il nous permet de dresser l'inventaire de notre « bibliothèque intérieure[12] » et d'établir notre filmographie personnelle, ainsi

12. Très belle expression de Christiane Singer, *Du bon usage des crises*, Paris, Albin Michel, 1996.

que d'observer l'évolution de notre questionnement sur le monde. Il nous aide à dégager ce que nous pouvons appeler les récits-thèmes de l'enfance, de l'adolescence et de l'âge adulte, qui nous révèlent en réalité nos questions personnelles.

Il peut ensuite être intéressant de mettre l'histoire de notre vie en parallèle avec notre filmographie personnelle. Pour ce faire, il suffit d'identifier les chapitres de notre vie et de les départager en fonction des films qui ont eu une importance pour nous à une époque donnée. Les films synchronistiques sont les films qui ont créé un avant et un après dans nos vies, qui ont divisé les chapitres de notre mythe personnel. Les films peuvent ainsi servir de repères pour l'individuation – ils s'apparentent à des sceaux temporels marquant la fin de nos chapitres biographiques.

La filmographie personnelle

Je privilégie ici le cinéma, mais cet exercice peut évidemment se faire avec des récits relevant de toutes les formes d'expression artistique (littérature, théâtre, etc.) pour peu qu'ils nous aient marqués. Les questions que nous pouvons nous poser en regard de ces films concernent trois éléments :

- *Le moment où nous regardons le film.* Quand avez-vous vu le film ? Que se passait-il dans votre vie à ce moment-là ? Une problématique particulière existait-elle ? En quoi voir ce film a-t-il débloqué quelque chose dans votre histoire ?
- *Les héros et les personnages auxquels nous nous identifions.* Quels personnages vous ont marqué et pourquoi ? Quelles étaient leurs caractéristiques ? Les personnages de films auxquels nous nous identifions sont des soutiens dont nous faisons usage pour compenser nos manques. Tout comme les personnages de nos rêves, ils symbolisent bien souvent des parties de nous. Pour cette raison, les épreuves que traversent les héros qui nous touchent nous indiquent les thèmes auxquels nous devons réfléchir. Ces héros, parce qu'ils trouvent des réponses originales et créatives à un conflit, peuvent

ainsi inspirer nos vies. Il nous appartient cependant de les évaluer en fonction de nos valeurs, un peu comme nous le faisons avec nos parents : après les avoir idéalisés, nous les critiquons, puis nous choisissons l'héritage que nous souhaitons garder.

- *Des thèmes qui nous touchent particulièrement.* Quelles impressions ou émotions ces films ont-ils soulevées en vous ? Quelles sont les répliques qui vous ont marqué ? Quels thèmes pouvez-vous identifier et quels liens pouvez-vous faire avec votre propre histoire et votre question personnelle ? Pouvez-vous extraire un thème central de l'œuvre qui vous a touché et le mettre en relation avec votre vie ?

Au terme de cet exercice, nous sommes à même de diviser notre vie en chapitres et de préciser le thème essentiel de chacun. Nous pouvons ensuite tenter de définir le thème unificateur qui fait le lien entre tous ces films, car il nous donnera une bonne idée de la question intime qui structure notre individuation. C'est d'ailleurs à ce jeu que je me suis prêté au début de chaque chapitre de ce livre en présentant un film qui m'a particulièrement touché à une certaine période de ma vie.

Le postulat de base sous-jacent à cet exercice est que les histoires fournissent des points de repère universels sur lesquels nous pouvons nous appuyer pour aller à la rencontre de ce qu'il y a de plus particulier en nous. Le langage symbolique que nous trouvons au cinéma nécessite une traduction dans le langage propre à notre mythe personnel. Comme le fit Champollion avec les hiéroglyphes, nous devons traduire afin de tenter de saisir l'idée essentielle ; cela fait, nous pouvons transposer cette idée dans notre propre histoire. Le travail de traduction du sens effectué à propos d'une histoire nous aide à découvrir les thèmes qui nous préoccupent et à voir quelle forme revêt tel archétype dans notre propre récit de vie.

Une garde-robe pour l'âme

Tels Adam et Ève, nous sommes nus devant les mystères de l'Univers, mais nous ne sommes pas seuls. Les histoires, et particulièrement le cinéma, nous fournissent des costumes confectionnés par d'autres dans lesquels nous pouvons nous glisser pour remédier à une partie de notre ignorance. En ce sens, entrer dans un film, c'est un peu comme entrer dans une garde-robe : les vêtements que nous y trouvons habillent nos questions de sens.

Plus nous sommes conscients des vêtements que nous revêtons, mieux nous pouvons réagir aux imprévus de la vie. Et mieux nous connaissons notre garde-robe, mieux nous saurons nous adapter au monde extérieur. La plupart du temps, nous sommes inconscients des vêtements que la fiction nous impose, mais, à défaut d'autres, nous les adoptons malgré tout. Or, bien souvent, ils ne nous conviennent pas, car le cinéma d'aujourd'hui offre beaucoup de prêt-à-porter ; les costumes sont trop étroits ou trop amples, les chemises mal ajustées, mais nous les portons parce qu'ils nous donnent le sentiment d'être à la mode et de faire partie du groupe. Comme le dit Vincent dans *La vie la vie* : « C'est sûr que le cinéma nous conditionne, mais moi, ça change rien, ma vie ressemble déjà à un film. C'est juste que je ne suis pas toujours content de jouer dedans. » Nous avons donc tout intérêt à nous interroger et, surtout, à personnaliser ces images qui sont censées nous soutenir dans notre propre évolution et nous protéger du froid de l'absurdité de la vie.

Le cinéma s'apparente à une garde-robe pour une autre raison : il est un espace clos qui tient ses objets captifs. Contrairement à un roman ou à une cassette vidéo que nous louons dans un club, qui nous permettent d'exercer un contrôle sur la façon dont nous entrons en relation avec l'histoire, le film que nous allons voir au cinéma nous met à la merci des images comme le fait le rêve. Nous sommes bien sûr libres de quitter la salle si le film nous ennuie ou nous dérange, mais nous ressentons toujours un certain malaise à le faire. Le cinéma révèle et réveille les vieux fantômes qui vivent cachés au fond du placard de notre mémoire : un chagrin oublié, une colère refoulée, un désir inavoué. C'est pourquoi, après avoir vu un film, nous ressentons généralement le besoin de parler de ce qui nous a touchés et d'examiner les images qui nous habitent, surtout lorsque le film nous a ébranlés. Débobiner le fil des images des films qui nous marquent permet d'aller voir de l'autre côté de l'image, soit le négatif sur lequel celle-ci est imprimée. L'examen attentif des images nous met en contact avec ce qui se trouve derrière nos questions, avec l'arrière-scène de notre histoire et les thèmes essentiels de notre mythe personnel.

Le mythe personnel

Quel mythe guide notre vie ? Lorsqu'un film comme *Le fabuleux destin d'Amélie Poulain* touche autant de personnes, c'est qu'il contient et révèle des thèmes essentiels du mythe dans lequel nombre d'entre nous vivent. Notre mythe personnel est constitué d'une constellation de croyances, de valeurs, d'émotions et d'images qui sont organisées autour d'un thème central, d'une question essentielle ; cette constellation nous est propre, mais nous en retrouvons certains éléments dans les histoires qui nous fascinent. Ce mythe personnel nous sert à expliquer le monde, de la même façon que le mythe collectif à une plus large échelle. Il est notre façon originale d'organiser l'univers chaotique qui nous entoure. Il n'est jamais bon ou mauvais, mais plutôt vrai ou faux, utile ou non. Il contribue à donner un sens, une direction, à notre histoire, et il guide notre développement. Comme je le mentionnais précédemment, il se nourrit des images que nous côtoyons tous les jours dans notre environnement. Notre mythe personnel est d'autant plus sensé que nous savons lier les différents thèmes qui nous préoccupent, même les plus contradictoires, en un tout cohérent.

Les thèmes de vie

Être lucides vis-à-vis de notre mythe personnel consiste à en reconnaître les thèmes essentiels et à les faire évoluer de façon créative. Le parcours du réalisateur Claude Lelouch est un bon exemple de travail créatif mené à partir d'un thème de vie.

Claude Lelouch est un cinéaste qui n'a pas été épargné par la critique. Ses films ont souvent été sévèrement jugés. Ironiquement, il ne se destinait pas au cinéma, car il avait entrepris des études de droit. Tout aussi ironiquement, son père lui avait assuré que s'il échouait il lui mettrait une caméra entre les mains et le laisserait se débrouiller... – ce serait sa punition! La caméra fut un présent synchronistique pour Lelouch, qui agit dans sa vie comme un symbole. Mais pour cela, il dut prendre conscience de ce qu'elle signifiait pour lui et des possibilités qu'elle lui offrait. Il réalisa plus tard qu'elle lui avait permis de reconnaître un thème fondamental de son histoire, lequel devait le suivre tout au long de sa vie: «Ma vie est fondée sur ce thème, dira-t-il: tout ce que j'ai réussi, je l'ai d'abord raté.»

Lelouch a donc réfléchi non pas tant sur la caméra elle-même que sur ce qu'elle signifiait dans le contexte de son histoire; c'est à partir de là qu'elle est devenue le pivot de son œuvre. La caméra symbolise sa question-thème en quelque sorte. Désormais, chacun des films de Lelouch portera quelque part sa marque personnelle qu'il exprime par la fameuse question: «Comment le héros parvient-il à créer quelque chose après avoir subi un échec?» Marqué par la critique, Lelouch a souvent songé à abandonner sa carrière. C'est d'ailleurs à la suite d'une soirée de première particulièrement pénible, pendant laquelle un de ses films avait été bafoué par la critique, qu'il eut l'idée d'*Un homme et une femme*. Cette nuit-là, tandis qu'il conduisait en direction de la côte, il a vraiment envisagé de tout arrêter. C'est au petit matin, comme il arrivait au bord de la mer, qu'il aperçut une femme et son enfant marchant sur la plage. Cette image a été le point de départ de l'un de ses films phare.

Le cinéaste a su saisir le potentiel qui se cachait derrière sa vision, imaginer une situation et la porter à l'écran. Tout acte créateur recèle ainsi des possibilités de transformations multiples d'un contenu donné en une œuvre telle qu'un film. C'est ce qu'a fait Lelouch avec ses films, mais aussi avec le grand film de sa vie.

« Le gars des vues[13] »

Il va sans dire que les thèmes qui structurent nos vies n'évoluent pas toujours selon le scénario que nous aurions souhaité. Dans la plupart des récits, le héros apprend en cours de route que ce dont il a réellement besoin n'est pas ce qu'il cherchait au départ, mais autre chose qui, au fil de l'histoire, se révélera comme plus important. Il faut donc supposer qu'un «réalisateur» connaisse les véritables désirs qui nous animent pour les représenter et stimuler notre créativité dans la vie. Nous devons poser l'hypothèse qu'il existe un centre, une couche de l'inconscient collectif, qui se souvient du début du film de la vie, pour reprendre la métaphore du début de ce chapitre.

La synchronicité témoigne de la présence de ce centre qui influence le récit de notre vie, et qui donne lieu à des coïncidences invraisemblables dans notre histoire. C'est à l'occasion de ce genre de coïncidences que nous nous demandons ce qu'il peut y avoir derrière les événements, qui ou quoi tire les ficelles réellement. Il semble donc qu'il puisse exister quelque chose de l'autre côté des choses qui essaie de nous mettre en scène tout en demeurant caché, voilé. Un je-ne-sais-quoi qui nous habite, mais qui n'est pas palpable. Un petit rien qui filme notre vie plus largement que notre moi et qui se révèle au fur et à mesure du lent processus de mise en scène de notre mythe personnel que constitue notre processus d'individuation.

Les signes de l'individuation

Comment reconnaît-on les gens qui ont progressé dans le processus d'individuation? Ils ne se remarquent pas dans un cocktail! aurait dit Jung... Ils ne se remarquent pas à leur salaire, à leur travail ou à la grandeur de leur maison. L'individuation n'est pas nécessairement synonyme de réussite sociale. Ce n'est pas le fait d'être médecin, avocat

13. «Le gars des vues» est une expression québécoise pour désigner la marque du réalisateur dans un film. Par exemple, on dira d'une scène particulièrement invraisemblable qu'elle a été arrangée avec «le gars des vues».

ou chanteur qui est un indicateur d'individuation, c'est plutôt la façon unique dont nous jouons notre rôle dans la vie. Ce n'est pas notre travail qui nous rend heureux, mais plutôt ce que nous faisons de notre travail, la manière dont nous l'habitons. Nous nous sentons vivants grâce à la façon dont nous «enveloppons» les choses, c'est-à-dire grâce à la forme que nous choisissons de leur donner.

Les personnes qui ont progressé dans l'individuation (car ce processus n'est jamais complètement terminé) se remarquent par leur créativité, par leur souplesse et, surtout, par leur façon originale d'envisager des questions que la plupart des gens n'osent pas aborder, et auxquelles ils essaient encore moins de tenter de répondre. Elles possèdent une aura qui leur est propre, une façon toute personnelle d'envisager les événements. Un peu comme la nacre qui entoure le grain de sable, elles savent transformer les occasions de la vie en perles. Leur présence riche permet ce que nous pourrions appeler une *biodiversité* de réponses. Cela signifie qu'ayant développé un espace intérieur leur permettant de symboliser les événements d'une façon toute personnelle, elles arrivent à créer une culture riche et unique qui leur permet de s'adapter de manière créative (et non passive) aux demandes de la vie.

La grenouille et l'eau qui bout

L'individuation, en tant que principe de régulation à même de préserver la vie psychique, agit tout comme un thermostat qui tenterait de maintenir un certain niveau de sens dans notre psyché, afin que nous nous y sentions à l'aise. Nous pouvons toutefois ignorer les appels venant du Soi, un peu comme la grenouille qui ne remarque pas les écarts de température de l'eau et y reste jusqu'à l'ébullition. On sait en effet que, si l'on place une grenouille dans un récipient d'eau mise à bouillir, elle ne perçoit pas le changement de température et se laisse mourir. Par contre, lorsque survient un changement brusque, la grenouille ressent l'écart de température et bondit hors du bocal afin de chercher un nouvel environnement.

Les changements subtils de notre vie sont plus difficiles à saisir. Il est malheureux de constater qu'il faille parfois un drame majeur pour modifier quelque chose dans son existence. Pour aller dans le sens de l'individuation, nous devons nous tenir à l'affût de ces écarts et développer notre capacité à observer les scénarios types (*patterns*), qui sont cachés derrière ce qui est visible et qui nous informent de changements à venir.

Certains pêcheurs polynésiens arrivent par exemple à reconnaître leur route en mer, et ce, sur plusieurs centaines de kilomètres, uniquement en observant les turbulences et les variations dans les vagues. Ils ont ainsi intuitivement accès à une foule d'informations qui nous échappent habituellement. Nous, au contraire, avons appris à nous fier presque exclusivement à des instruments externes pour connaître notre environnement. Sommes-nous devenus sourds et aveugles aux signaux que nous adresse le monde environnant? Aujourd'hui, dans nos atmosphères aseptisées, nous avons sans doute perdu de vue ces signaux qui relèvent de la perception instinctuelle. Facteur de survie chez les animaux, la perception des signes avant-coureurs d'un changement ou d'un danger réel est profondément atrophiée chez l'humain. En évoluant dans un univers surtout technologique, nous sommes peut-être devenus insensibles à notre intuition et, ce faisant, aux informations que nous adresse l'inconscient collectif.

Est-ce que je fais vraiment ce que j'ai envie de faire?

Comme nous le verrons dans ce livre, les questions de l'individuation touchent à des dimensions plus vastes que la simple activité professionnelle. La fonction sociale n'est qu'un aspect de l'individuation. Les questions du lien, de notre fonction dans le monde et du sens à donner à notre histoire doivent coexister dans une individuation qui évolue vers la complexité au fur et à mesure des âges de la vie.

Le processus d'individuation est certes long et périlleux. De surcroît, il n'existe pas de réponses définitives aux questions essentielles qui se posent à nous en regard de notre fonction sociale, de notre lien à l'autre et du sens général que nous souhaitons donner à notre vie. Mais le désir qu'éveille pour nous le fait d'arriver dans une histoire dont nous ignorons complètement le début est très précieux. Il est le moteur qui nous pousse à chercher inlassablement ce qui est à l'origine de notre mythe personnel. Les fragments de réponses que nous pouvons trouver se cachent au-delà des images, dans les coulisses de la grande histoire du monde. Il faut donc aller au-delà de ce qui nous est montré pour retrouver le fil qui nous relie à cette vaste épopée. *Les histoires ne sont pas créées uniquement pour être vendues, elles nous courtisent afin que nous puissions tomber amoureux de notre propre histoire…*

Pour ma part, je ne sais pas où j'en suis précisément dans mon processus d'individuation, mais j'ai choisi d'écrire pour mieux me situer. Je découvre mon mythe personnel en l'écrivant. Et malgré les difficultés que m'occasionne l'écriture d'un livre, lorsque je vois ces lignes sur le papier et que je me pose cette simple petite question: «Suis-je en train de faire véritablement ce que j'ai vraiment envie de faire?», je réponds: «Oui.»

CHAPITRE 2

L'apprentissage de son mythe personnel

Apprendre, c'est découvrir ce que tu sais déjà.

RICHARD BACH

Aujourd'hui ce sont partout les mémoires artificielles qui effacent la mémoire des hommes, qui effacent les hommes de leur propre mémoire.

JEAN BAUDRILLARD

Les films que nous avons vus au cours de notre enfance laissent une trace indélébile dans notre mémoire. Je me souviens encore de cet après-midi de juin où j'étais allé voir pour la première fois *La guerre des étoiles* dans le petit cinéma de quartier situé près de l'église paroissiale. Bien souvent, à cette époque, les films étaient présentés dans les églises, ce qui soulignait d'autant la dimension sacrée de cette activité. Dans la salle, nous devions rester très calmes si nous voulions voir le film jusqu'à la fin, car, lorsque nous étions trop bruyants, monsieur Mathieu, le projectionniste, allumait les lumières, nous faisait les gros yeux et mettait un terme à la projection, nous privant de la fin de l'histoire!

Mais ce jour-là, un silence particulier enveloppait la salle. Il n'était pas vraiment difficile de se taire puisque le film exerçait une fascination immense sur la centaine de petits Jedi, le héros du film, que nous étions. Le récit nous transportait dans un univers fascinant que nous reproduisions fidèlement une fois de retour à la maison en jouant avec des figurines qui représentaient nos héros favoris. À l'époque, je n'aurais pu expliquer cette attraction mystérieuse pour *La guerre des étoiles.* Aujourd'hui, je me l'explique de la façon suivante: ce film, qui montrait le parcours d'un héros devant développer un don particulier au fil d'un long apprentissage afin de pouvoir rétablir l'équilibre dans la galaxie, était une source inépuisable d'enseignement sur la vie.

À un moment décisif, le héros doit faire confiance à son intuition et débrancher sa machine afin de détruire l'étoile noire. Dans un autre volet de l'histoire, il doit affronter son père, le terrible Darth Vader, celui-là même qui a choisi le côté obscur de la force, contrairement à lui, pour étancher sa soif de pouvoir. L'aliénation de Darth Vader est symbolisée par le masque et par le fameux souffle métallique qui le caractérise. Contre toute attente, il sera sauvé par son fils à la fin de sa vie; ce dernier arrivera en effet à lui retirer le masque qui le tenait en vie virtuellement.

Un fantôme dans la machine

Autrefois, les phénomènes naturels que nous ne comprenions pas, comme le tonnerre, les éclipses de soleil, les tremblements de terre, étaient mis en scène par des mythes qui les symbolisaient de diverses façons. Aujourd'hui, la fascination et l'angoisse devant l'inconnu prennent la forme de préoccupations technologiques et sont mises en scène grâce aux films de science-fiction. Il faut bien l'avouer, seule une infime partie de la population connaît réellement le fonctionnement interne d'un ordinateur ou de n'importe quel autre gadget électronique d'usage courant. La plupart d'entre nous les utilisons en leur faisant confiance, mais non sans une certaine appréhension. L'angoisse suscitée par l'utilisation des machines s'exprima notamment dans la prolifération de scénarios alarmistes concernant le passage à l'an 2000. Nous craignions que le monde ne s'écroule et que les machines ne se retournent contre nous…

La technologie a pour but de nous faciliter l'existence. À l'origine, elle était censée nous donner de plus en plus de temps libre – est-ce vraiment le cas? La technologie se développe de façon fulgurante, mais le discernement qui devrait aller de pair avec son utilisation fait souvent cruellement défaut. En ce sens, les outils technologiques peuvent être des obstacles à l'individuation; c'est le cas lorsque nous n'avons pas conscience des projections que nous faisons sur eux. Le cinéma de science-fiction nous permet d'opérer cette prise de conscience de notre aliénation par les machines en nous proposant des parcours symboliques de héros qui sont une source d'inspiration pour notre réflexion.

La matrice : un moi « branché »

Dans la trilogie des films des frères Wachowski, dont le premier est justement sorti en 1999, les humains ont assombri le ciel après avoir développé une technologie de plus en plus performante, mais polluante. Autrement dit, à force d'utiliser les machines, les humains ont ironiquement perdu la liberté qu'elles étaient censées leur apporter. Autrefois alimentées par le soleil, les machines ont maintenant besoin d'une nouvelle énergie pour fonctionner et elles la trouvent dans l'énergie biologique des humains. Elles se sont ainsi retournées contre l'espèce humaine, transformant les hommes et les femmes en batteries.

La matrice est un programme virtuel qui donne l'illusion d'exister dans un monde réel, mais qui est en fait une énorme simulation créée dans le but de garder les humains inconscients. La plupart des habitants de la matrice ignorent ainsi que leur moi réel est branché sur cet immense programme et que, de cette façon, ils alimentent un système qui les aliène. Quelques personnes ont toutefois réussi à s'en libérer. Parmi celles-ci, Thomas Anderson, alias Néo, un informaticien ordinaire qui découvrira qu'il est l'élu, celui qui doit libérer l'humanité de l'emprise des machines et rétablir la paix.

Un des thèmes essentiels de *La matrice* réside dans la perte de sens qui résulte de la confusion entre les buts poursuivis et les moyens offerts par les machines. Einstein avait d'ailleurs indiqué que la confusion entre moyens et buts est une caractéristique fondamentale de notre époque[14]. Sur le plan personnel, cette confusion devient manifeste lorsque nous devenons esclaves des objets ou des machines que nous utilisons ; que l'on songe à l'individu qui joue aux machines à sous pour le plaisir et la détente, et qui ne peut bientôt plus arrêter de jouer. Le moyen est devenu le but de sa vie.

La machine est ce qui permet de satisfaire un besoin ou d'atteindre un objectif, mais ceux-ci peuvent facilement se transformer en désir d'obtenir toujours plus. On peut être possédé par ce que l'on possède et ainsi se faire prendre au « jeu » du contrôle. À la base, les machines ont pour but d'accomplir des tâches quasi impossibles à réaliser pour le commun des mortels, plus vite et sans effort humain. Les machines agricoles, par exemple, sont devenues un prolongement de nos muscles, les ordinateurs, un prolongement de notre cerveau. Mais dans le film, au lieu de permettre aux êtres humains de satisfaire leurs besoins, les machines les utilisent. En ce sens, les machines sont associées à la figure de la mère négative qui contrôle l'enfant et le prive de son autonomie. La mère est le premier « moyen » que l'enfant utilise pour satisfaire ses besoins. Au début de sa vie, il ne fait pas la différence entre le monde et sa mère ; pour lui, le sein qui le nourrit est un simple prolongement de lui-même. Il dépend donc totalement de la figure maternelle pour s'adapter au monde.

Progressivement, son moi parvient à se développer de manière autonome et le jeune enfant devient peu à peu capable de trouver d'autres moyens pour survivre. Mais si l'enfant ne se sépare pas de sa mère, son moi reste atrophié, et cet enfant, devenu adulte, devient la proie d'une foule de

14. Albert EINSTEIN, *Einstein : a Portrait*, Corte Madera, CA, Pomegranate Artbooks, 1984, p. 64.

dépendances à travers lesquelles il recherche inconsciemment des substituts de la mère. Dans *La matrice*, la machine apparaît comme un substitut de la mère, mais un substitut négatif. Elle symbolise l'emprise maternelle négative enlevant toute chance à l'enfant de développer un moi différencié qui lui permettrait de vivre enfin librement. La question essentielle de *La matrice* pourrait se formuler ainsi : sommes-nous libres ? Ou vivons-nous sous l'emprise d'une matrice indifférenciée ? Autrement dit, en termes psychologiques, sommes-nous aux prises avec un complexe maternel négatif[15] ? La formation du moi, qui s'exprime dans le Je, est une étape importante dans le processus d'individuation et ne peut s'effectuer que si l'enfant est placé devant la réalité et se différencie des désirs de sa mère. Dans le film, la formation du moi est symbolisée par le cheminement héroïque de Néo.

Dans *La matrice*, le questionnement du héros est intimement lié au processus d'individuation. La question est le moyen, l'outil de libération. D'ailleurs, la quête de Néo débute avec la question sur l'origine de la matrice. Tout au long de son cheminement, Néo devra affronter des questions essentielles et faire face aux difficultés de la réalité. De la pilule rouge à la pilule bleue, à la porte qui le ramènera vers Zion ou vers Trinity, ce qui distingue le héros de *La matrice* des autres personnages, c'est qu'il est lucide ; et c'est cette lucidité qui lui permet de poser les bonnes questions et de faire des choix qui le conduiront toujours plus près de la Source. Car le simple fait de poser de vraies questions peut causer des pannes dans le logiciel de la matrice, des anomalies systémiques propres à menacer le programme déterministe du monde. Poser des questions, donc désobéir en quelque sorte, est interdit par le conformisme de la matrice, qui n'a programmé aucun des personnages pour ce faire. La curiosité de Néo apparaît ainsi comme l'expression d'un moi différencié par rapport à la masse asservie à la matrice.

---

15. Un complexe maternel négatif existe lorsque nous sommes inconsciemment dépendants de substituts de la mère, ce qui bloque la voie d'une autonomie véritable.

L'obstacle principal que devra surmonter Néo est donc le conformisme, symbolisé par l'agent Smith, celui qui impose son identité aux autres. Ce dernier incarne l'ombre de Néo, c'est-à-dire celui qui ne fait pas de choix. Il symbolise aussi l'ombre de nos sociétés actuelles qui apparaît dans tout ce qui peut niveler les différences et éliminer l'originalité : la copie, le clonage, le piratage, etc. Si nous ne nous questionnons pas lucidement face à nos actions de façon à avoir une meilleure conscience de nos « programmes », nous risquons de nous transformer en agent Smith, c'est-à-dire de devenir les copies conformes d'un même modèle produites par un système qui nous aliène. Dans ce film, l'échec de l'individuation se traduit par la dissolution de l'individu dans la masse.

Pour se libérer de cette vie programmée et subie inconsciemment par la plupart, Néo devra devenir sensible à une aide offerte au héros : l'aide d'un niveau supérieur. Outre sa rencontre avec Morpheus, qui agit en quelque sorte comme une figure paternelle, un tuteur de résilience qui le libérera, Néo reçoit une aide surnaturelle : l'Oracle. Celui-ci symbolise l'intuition, qui soutiendra le héros tout au long de sa quête ; il est représenté par une femme de race noire que Néo rencontrera à différentes reprises. Celle-ci se présente de façon imprévisible et lui enseigne comment retourner à la Source en l'amenant à se poser les bonnes questions. Personne ne sait quand l'Oracle va se manifester. C'est en ce sens qu'il s'apparente à l'intuition et, d'une certaine façon, à la synchronicité : il incarne une forme de savoir spontané que le héros, comme nous, accepte d'intégrer ou non. Mais l'Oracle est un moyen pour parvenir à quelque chose d'autre, il n'est pas un but en soi. Encore ici, le risque de confondre le moyen et le but existe. Morpheus se fait des illusions à propos de l'Oracle, une femme de la même race que lui, et de qui il ne s'est pas encore différencié. Les idéologies, tout comme les machines, peuvent faire de nous des esclaves, ce que Morpheus apprendra à ses dépens.

Le Mérovingien, qui se fait aussi prendre au jeu de la confusion entre le moyen et le but, est un autre personnage intéressant. Il apparaît dans *La matrice rechargée*, le deuxième film de la trilogie. Trafiquant d'informations, il est aveuglé par son désir de contrôle, et il adore les jurons ! Pourquoi aime-t-il tant les jurons ? Peut-être parce qu'ils constituent un langage irrationnel qui le fascine, lui qui ne vit que dans la rationalité. Le Mérovingien incarne le principe rationnel par excellence qui domine la science. Dans son système de pensée, tout a une cause logique, tout est programmé. En ce sens, il représente l'opposé de la foi, de l'amour et de la gratuité. Pour lui, tout échange doit avoir une raison, rien ne peut être gratuit. Cela apparaît clairement dans le troisième film de la trilogie, *La matrice révolutions.* Mais sa capacité de questionnement est tributaire d'un système qui le limite. L'explication causale qui fonde le raisonnement scientifique ne peut lui permettre de tout expliquer ni, donc, de tout contrôler. Ainsi, il accuse Néo de suivre aveuglément les conseils de l'Oracle sans chercher à comprendre le véritable « pourquoi », mais il se fait prendre à son propre jeu par sa femme, Perséphone ; parce qu'il l'a trompée, elle livrera le maître des clés à Néo, au grand dam de son mari, qui ne parvient pas à trouver le pourquoi de cette trahison.

Perséphone, dans la mythologie grecque, est la déesse du monde souterrain, la fille de Déméter enlevée par Hadès, roi des enfers. Elle incarne le principe irrationnel que le Mérovingien a négligé parce qu'il est aveuglé par son désir de contrôle. Son « infidélité » à la nature irrationnelle que représente Perséphone causera la perte du maître des clés, qui symbolise le moyen : celui qui doit conduire l'élu à l'Architecte, le père de la matrice. Or avant de conduire Néo auprès de lui, Perséphone demande quelque chose de totalement irrationnel à ce dernier. Elle exige un baiser, mais un baiser qui a « l'air vrai ». La capacité de faire semblant dont Néo fait preuve à ce moment-là est essentielle. En jouant à donner un vrai baiser à Perséphone, Néo prouve en effet qu'il est capable de jouer, c'est-à-dire de différencier le moyen du but.

Apprendre à jouer

Une des caractéristiques essentielles de l'intelligence humaine est la capacité de jouer, soit de faire semblant, tout en demeurant conscient qu'il s'agit d'un jeu. C'est ainsi que Kasparov, le célèbre joueur d'échecs russe, a pu vaincre le superordinateur Deep Blue. Il n'a pu déjouer la machine que lorsqu'il s'est mis à jouer réellement, soit à placer des coups intuitivement, ce qu'aucun ordinateur ne peut faire puisqu'il n'est programmé que pour gagner et non pour jouer. C'est donc la capacité de jouer qui donne sa chance à l'être humain devant la quasi-perfection de l'ordinateur, une chance contre l'esclavagisme que peut engendrer la machine et contre une vision uniquement causale et mécanique du monde. Jouer est la racine de la créativité et le fondement de l'espoir, qui sont eux-mêmes à la fois notre plus grande force et notre plus grande faiblesse, comme le dit l'Architecte à Néo.

L'histoire de *La matrice* illustre que sur le chemin de l'individuation le moi peut se faire prendre au jeu de l'illusion du contrôle et confondre les moyens et le but. Lorsque nous n'arrivons pas à nous séparer de l'emprise maternelle négative et indifférenciée pour entrer dans un espace de jeu, nous nous faisons prendre au jeu du vouloir tout avoir et du vouloir tout être, pour finalement nous faire avoir et n'être rien.

L'apprenti « sage » de son mythe

En termes psychologiques, le parcours du héros, l'apprenti « sage » de son mythe personnel en quelque sorte, symbolise le moi qui se libère de la matrice maternelle indifférenciée pour former une unité individualisée capable d'affronter le monde par ses propres moyens. D'un point de vue psychologique, le héros n'est pas tant celui qui peut accomplir des actes extraordinaires que celui qui arrive à relever les défis multiples devant lesquels son quotidien le place. Au cours de l'existence, une foule d'obstacles nous mettent à l'épreuve et nous amènent à développer un moi capable de faire le lien entre notre monde intérieur et le monde extérieur. Le moi constitue ainsi le centre de la conscience et de la volonté, sa fonction principale étant de favoriser notre adaptation au monde extérieur tout au long de l'individuation.

Le parcours du héros est universel, il se caractérise par des enjeux que Joseph Campbell a bien mis en lumière[16]. Je vous propose une adaptation libre du schéma que cet auteur a mis au point. Appliqué au héros de *La guerre des étoiles* et à celui de *La matrice*, il permet de bien comprendre quels sont les enjeux auxquels le moi doit faire face au cours de l'individuation.

L'appel

Dans *La guerre des étoiles*, Luke Skywalker est un fermier ordinaire qui vit paisiblement dans un petit village du désert. Sa vie se déroule normalement jusqu'au jour où il reçoit l'appel à l'aide d'une princesse et aspire ainsi à réaliser sa mission. Dans *La matrice*, Néo est un informaticien quelconque contacté par Morpheus, qui le mènera à découvrir sa véritable identité et sa mission.

Dans la vie de tous les jours, l'appel est en quelque sorte les désirs et les rêves cachés au fond de chacun de nous, qui s'éveillent et nous poussent à nous dépasser. L'appel, c'est la question secrète que nous portons en nous et qui cherche à se mettre en mouvement en devenant au service du processus d'individuation.

Le refus

Au début, tous les héros refusent leur mission. Luke dira à son mentor, Obi Wan, qu'il doit rester à la maison pour aider son oncle lors des prochaines moissons. Néo, une fois rendu dans la voiture où l'attend Trinity, hésite à rencontrer Morpheus. Le refus apparaît concrètement dans notre vie lorsque nous hésitons, par exemple à aller à un rendez-vous qui, ultérieurement, se révélera d'une importance capitale dans notre histoire. La plupart des rencontres synchronistiques, soit celles avec des gens qui nous ont fait complètement changer de voie, sont précédées d'un moment d'hésitation.

---

16. Joseph Campbell, *The Hero with a Thousand Faces*, Princeton, Princeton University Press, 1972.

L'aide surnaturelle reçue par le héros

Généralement, des signes viennent encourager le héros au fil de son parcours. Dans le cas de Luke, cette aide prend la forme des messages d'Obi Wan. Par la suite, ces messages le guident vers l'accomplissement de sa mission : détruire l'étoile noire. Dans les autres épisodes de l'histoire, ces messages le conduisent vers Yoda. Quant à Néo, ce sont la Femme au lapin blanc, Trinity et Morpheus qui le conduiront vers l'endroit d'où il se libérera de la matrice. Les messages de l'Oracle le guideront aussi dans sa quête. Cette intervention venue d'un niveau supérieur rassure le héros sur le fait qu'il doit poursuivre sa mission. Elle peut être symbolisée par un objet, telle une offre synchronistique, qui soutient le héros dans sa quête. Le sabre laser de Luke, offert par Obi Wan, symbolise par exemple sa mission de Jedi.

Dans la vie de tous les jours, la faculté de trouver les objets appropriés à notre parcours relève de la « sérendipité », soit la capacité de trouver par hasard ce dont nous avons besoin. Je reviendrai sur ce concept, que je propose d'utiliser comme traduction du terme anglais *serendipity*, à la fin du présent chapitre.

La rencontre avec un maître

Habituellement, les signes reçus conduisent à un maître ou à un rendez-vous déterminant dans le cheminement héroïque. Luke rencontrera Obi Wan ; il fera ensuite connaissance avec Yoda. Dans *La matrice*, Néo rencontrera Morpheus après avoir suivi la Femme au lapin blanc et Trinity.

Une rencontre peut être considérée comme synchronistique si elle crée un avant et un après dans une histoire. Après celle-ci, la vie du héros commence à se transformer. Nous avons tous fait ce genre de rencontres qui créent des avants et des après dans notre histoire personnelle.

L'apprentissage du don particulier

Luke, après avoir rencontré Obi Wan et Yoda, doit apprendre à maîtriser la force en devenant un Jedi. Néo, quant à lui, apprend à maîtriser l'art du combat et recouvre sa lucidité au sein de la matrice.

De même, au long de notre parcours, devons-nous apprendre à bien nous connaître et à nous laisser guider par notre monde émotionnel si nous voulons entendre l'appel qui se fait en nous et répondre de manière originale à la question qui sommeille en nous.

L'alliance avec d'autres personnes

Luke aura comme alliés la princesse Leia, Han Solo et Chewbacca. Néo pourra compter sur Trinity et Morpheus. L'existence de ces personnages secondaires indique que le héros ne peut accomplir seul sa mission et que, pour y arriver, il doit compter sur l'aide des autres. Il est intéressant de souligner que, dans la mythologie moderne, le héros dispose de plus en plus de compagnons pour accomplir sa quête. Pensons par exemple à Harry Potter, ou à Frodon dans *Le seigneur des anneaux*. Dans la mythologie traditionnelle, le héros, Ulysse par exemple, était bien souvent un être solitaire. Bien qu'aidé par certaines personnes, il devait faire face seul à son destin.

Au quotidien, nous avons besoin de nos amis et de nos proches pour réaliser notre mythe. Nous connaissons tous l'importance de travailler en équipe afin de développer un sentiment d'appartenance à un groupe.

La confrontation avec l'ombre

Afin de progresser au cours de sa mission, le héros doit être plongé dans la Nekiya, la descente au pays des morts dans le mythe d'Ulysse, afin d'être initié. Pour Luke, il s'agira d'un bac à ordures, et des égouts pour Néo lorsqu'il est réanimé et qu'il se retrouve «dans le désert» de la réalité, comme le qualifie Morpheus.

La confrontation avec l'ombre représente la rencontre avec les facettes refoulées de soi. Le face-à-face entre Luke et son père dans la cave de Yoda, par exemple, est une autre façon de symboliser cette étape. C'est le moment où le héros doit faire face à ce qu'il est véritablement.

Chez le commun des mortels, dont nous sommes, cette étape est souvent marquée par la dépression, l'épuisement professionnel ou des pertes significatives; elle correspond à la crise du mitan de la vie et à la confrontation avec la partie refoulée de nous-mêmes, soit notre ombre.

Les épreuves et le test ultime

L'affrontement du héros avec un personnage clé qui est souvent son opposé a généralement pour but de tester dans la réalité les résultats de son apprentissage. Luke devra affronter Darth Vader et résister à son attirance pour le côté obscur de la force. Néo combattra l'agent Smith et en ressortira plus puissant. Dans le deuxième épisode de *La matrice*, Néo doit affronter Perséphone, qui exige de lui un baiser, sans tomber dans le piège de l'illusion. Le héros doit ensuite plonger au cœur des choses pour en revenir avec un don particulier qu'il pourra offrir à la communauté. Dans *La guerre des étoiles*, Luke visite le cœur de l'étoile noire, tandis que, dans *La matrice*, Néo va trouver l'Architecte, puis toucher à la Source dans le dernier film de la trilogie. La persévérance dont fait preuve le personnage devant les épreuves est vraiment ce qui le démarque et le consacre comme héros.

Nous pouvons nous aussi identifier dans nos vies les épreuves particulièrement significatives de ce genre que nous avons traversées et qui nous ont permis de nous prouver que nous étions en mesure de faire face au monde.

Offrir son pouvoir et se servir de son don pour le bien de la communauté

Luke comprend qu'il doit compter sur la force (son intuition) et non sur les machines pour s'en sortir. Néo, qui voit au-delà du temps, peut exercer son pouvoir dans le monde réel à tout moment. La transformation du fermier et de l'informaticien ordinaire en êtres individués, qui mettent leur talent à la disposition de la collectivité, complète le parcours du héros. Darth Vader, l'agent Smith, Cypher et le Mérovingien ont tous échoué une fois rendus à cette étape, car ils n'ont utilisé leur pouvoir que pour eux-mêmes, et non pour la communauté.

En ce qui nous concerne, mettre au service des autres notre intelligence et notre créativité afin de contribuer à un monde meilleur, plutôt que de cultiver nos talents pour notre seul profit personnel, témoigne de ce que nous sommes devenus des êtres individués.

L'intelligence

Nous sommes toujours impressionnés de voir comment les héros ou les personnes de la vie courante réussissent à relever des défis qui paraissent insurmontables. L'intelligence se traduit par les moyens que nous mettons en place pour nous adapter et atteindre les buts que nous nous sommes fixés. Bien que, de façon générale, la définition de l'intelligence ne fasse pas consensus, on s'entend pour affirmer que l'adaptation est sa caractéristique principale. Loin de se réduire à ce que mesure le quotient intellectuel, qui n'est, somme toute, que le résultat à un test, l'intelligence est multidimensionnelle. Les gens qui savent trouver et mettre en place des moyens souples mais efficaces pour atteindre leurs objectifs font preuve d'intelligence.

On sait que la libération de la main, c'est-à-dire le passage de la position du quadrupède à la position debout du bipède, et la création d'outils ont permis à l'être humain de développer son intelligence et de dominer les autres espèces. Ce développement intellectuel visant à la construction d'outils de plus en plus performants se fait toutefois au détriment de la vie émotionnelle et relationnelle. Le moi s'en trouve donc diminué ; ce faisant, il risque de perdre sa créativité et de ne plus pouvoir s'adapter. Bien que nous soyons intelligents, nous devons admettre, devant certains de nos comportements barbares, que nous régressons parfois à l'ère préhistorique.

Nous ne pouvons faire fi de notre origine, laquelle remonte à plusieurs millions d'années. La couche la plus ancienne du cerveau émotionnel est le cerveau reptilien ;

celui-ci est responsable de la hiérarchie qui s'établit entre les individus, des agressions et de la protection du territoire. Il influe grandement sur notre fonctionnement. Cette partie du cerveau, qui est d'ailleurs très fonctionnelle chez certains présidents, a besoin d'être maîtrisée, à défaut de quoi elle domine la conscience. Il faut dire qu'elle a une histoire de plus de 100 millions d'années, alors que le néocortex, siège de la raison et du langage, ne date que de quelques millions d'années.

Le moi doit donc vivre en compagnie d'un cerveau émotionnel qui conditionne chacune de ses décisions. Il est certain que, lorsque l'activité de ce cerveau n'est pas bien circonscrite et limitée, elle risque de nous décontenancer à tout moment. C'est pourquoi, dans un monde de plus en plus technologique et rationnel, il est essentiel que nous développions nos aptitudes émotionnelles et relationnelles.

L'intelligence émotionnelle

L'intelligence émotionnelle consiste en un ensemble de compétences qui, s'appuyant sur le potentiel intelligent du cerveau émotionnel, favorisent notre adaptation à notre monde affectif et à celui des autres. Le postulat de base de cette intelligence est que les émotions sont une source d'information essentielle à notre adaptation. Une émotion peut se comparer à la une du journal télévisé de l'inconscient; aussi, savoir en décoder les signaux au lieu de les étouffer aide-t-il à mieux s'adapter.

Je fais ici état de quelques caractéristiques de l'intelligence émotionnelle, car elles concernent le développement du moi en ce qui a trait à l'apprentissage du mythe personnel. Dans cette section, j'examinerai les dimensions *intrapersonnelles* de cette intelligence, soit: la conscience de soi, l'évaluation de soi et la maîtrise de soi. Au chapitre 4, j'en viendrai aux dimensions *interpersonnelles* de l'intelligence émotionnelle, plus particulièrement à l'empathie.

La conscience de soi

La conscience de soi signifie la capacité de connaître notre univers émotionnel, nos valeurs et nos motivations afin d'orienter notre vie dans le sens que nous voulons. Comme le dit une expression populaire québécoise : « Une émotion, c'est comme un enfant ; si on ne s'en occupe pas, elle tient toujours occupé. » Lorsque nous sommes aux prises avec une émotion forte, notre niveau de conscience diminue. Le nombre de voitures grises que nous croisons sur la route le lendemain de la rupture d'avec notre compagne de vie, qui avait une voiture de cette couleur, est inouï ! Identifier la source d'une émotion permet d'acquérir une meilleure lucidité et de se réapproprier des projections que nous faisons sur le monde.

Des complexes et... des vampires

Certaines de nos émotions sont emprisonnées dans des complexes, nous subtilisant de ce fait beaucoup d'énergie, un peu à la façon des vampires. Les complexes sont des nœuds affectifs qui se sont formés à la suite d'une expérience traumatisante. Pour cette raison, ils contiennent une très forte charge émotionnelle. Ces nœuds affectifs, lorsqu'ils demeurent inconscients, drainent l'énergie qui sert habituellement au moi. Les complexes, vivant dans l'obscurité de l'inconscient, vampirisent en quelque sorte notre psyché. Lorsque nous en sommes l'objet, notre niveau de conscience baisse. La seule façon de diminuer leur influence sur le moi consiste à interagir avec eux tout comme avec les vampires dans les films d'horreur : premièrement, en leur enfonçant un pieu dans le cœur, c'est-à-dire en les identifiant ; puis en nommant la question autour de laquelle ils se sont développés ; enfin, en mettant en lumière l'émotion concernée. Lorsque nous avons une réaction émotionnelle forte par rapport à un sujet ou à un autre dans l'existence, nous pouvons émettre l'hypothèse que nous sommes en présence de l'un de ces complexes : d'abandon, de rejet, etc. Il faut ensuite le confronter à la lumière en ouvrant les rideaux de la conscience, car sa force lui vient de la nuit, soit de l'inconscient. Autrement dit, détecter lucidement sa présence dans nos interactions de tous les jours peut diminuer l'emprise qu'il a sur notre moi.

Philippe, un homme d'affaires, a par exemple eu de la difficulté à se remettre de sa rupture avec une femme qui s'appelait Édith. Toute sa vie tournait autour du souvenir d'Édith, si bien qu'il n'arrivait plus à entrer en relation avec une autre femme. En fait, il était comme vampirisé par un complexe maternel négatif qui était venu se greffer sur l'expérience qu'il vivait avec cette compagne. Ce complexe est devenu manifeste lorsqu'il aborda sa relation avec sa mère. Il mentionna qu'il n'avait pu entrer en relation significative avec celle-ci que lorsqu'elle était tombée dans le coma. Lors d'une entrevue particulièrement éprouvante, il raconta comment les choses s'étaient passées à son chevet: «Les paroles que j'ai dites ("j'Édith") à ma mère à ce moment-là étaient les plus importantes. J'ai alors senti que j'étais vraiment en relation avec elle.» Le choix des mots n'était pas fortuit. Il révélait un lien inconscient entre sa mère et Édith, lien qui prenait la forme mélancolique d'un deuil impossible à faire.

Le complexe s'organisait aussi autour des thèmes de la mort et de l'absence. Il gardait ainsi Philippe en relation inconsciente avec sa mère et l'empêchait de créer de nouveaux liens avec une femme disponible et bien vivante. Un autre élément révélait l'emprise du complexe sur Philippe: la volonté de celui-ci de garder intacte l'image idéalisée qu'il avait de sa mère. C'est en voyant *Les invasions barbares,* film de Denys Arcand, que Philippe fut amené à se questionner à ce sujet. Il a été profondément remué par la réplique de Nathalie à Rémy: «En fait, ce n'est pas votre vie actuelle que vous ne voulez pas quitter, c'est votre vie d'autrefois. Elle est déjà morte cette vie-là[17].»

Lorsqu'ils ne sont pas reconnus, les complexes, tels les vampires qui résistent à la mort, peuvent envahir le moi, dominer la personne et l'empêcher d'évoluer. Nous sommes alors pris au piège de leur dynamique, un peu comme lorsque le héros d'une histoire se retrouve au tapis après une attaque

17. Denys ARCAND, *Les invasions barbares* (scénario du film), Montréal, Boréal, 2001, p. 151.

de son ennemi, car les ennemis dans les histoires symbolisent précisément ces complexes. Par exemple, le complexe maternel négatif prend la forme de la matrice qui menace la liberté des humains, l'ombre de chacun s'incarne dans l'agent Smith, qui veut s'emparer de l'individualité d'autrui. Apprendre à reconnaître et à combattre nos complexes est une façon d'apprendre à nous connaître. «On ne connaît quelqu'un qu'après l'avoir combattu», dit d'ailleurs l'un des personnages à Néo, dans *La matrice.*

Être à l'écoute de notre vie émotionnelle nous permet de prendre conscience de la présence des complexes que nous projetons sur la toile du monde. Nous avons ainsi l'occasion d'en savoir plus sur notre vie intérieure et sur ce que l'inconscient essaie de nous dire, car l'émotion est le principal signal qui nous relie à lui.

L'évaluation de soi

Une autre facette importante de l'intelligence émotionnelle est la capacité de porter un jugement juste sur soi. Dans nos sociétés, il est plus facile d'envoyer un homme sur la Lune que de maintenir une bonne estime de soi. L'un des sentiments que j'observe le plus fréquemment dans le paysage émotionnel de mon cabinet de consultation est celui d'insuffisance. Il est très souvent présent, bien que voilé par l'anxiété, la dépression, la fatigue chronique, l'épuisement professionnel, etc. La libération sexuelle a remplacé la crainte de la faute par le souci de la normalité, dit-on aujourd'hui. Notre juge, c'est l'autre, et les règles ne sont plus fixées par une morale extérieure, mais par le désir inconscient d'être accepté. Et pour être accepté, il faut sans cesse réaliser des performances. Dans une société comprenant de moins en moins d'interdits et de limites, le sentiment qui accompagne l'insuffisance est la honte, soit l'incapacité de soutenir un regard social normalisant et exigeant.

Le manque de jugement lucide vis-à-vis de soi-même se paye cher et conduit inévitablement à l'obsession d'en faire toujours plus. Je pense par exemple à cet homme d'affaires qui me déclara un jour: «Ma valeur primordiale, c'est la famille. C'est pour ça que je travaille 120 heures par semaine pour faire vivre la mienne!» Sommes-nous victimes de ce complexe d'insuffisance? Sur quelles bases nous évaluer? Quels critères utiliser pour déterminer notre valeur personnelle et le degré de satisfaction que nous éprouvons vis-à-vis de nous-mêmes? Le regard de l'autre? «Si on ne se définit pas, les autres vont s'en charger», a dit Jacques Salomé... C'est un peu le paradoxe de Narcisse, mythe emblématique de notre génération de l'insuffisance, qui est en quête désespérée d'un regard pour exister.

Narcisse et la télé-réalité

Dans la mythologie grecque, la particularité de l'histoire de Narcisse est que sa mère l'a privé de se regarder durant toute sa vie. Elle avait ainsi caché tous les miroirs et tous les objets qui auraient pu lui retourner son reflet. Mais vint un jour où, apercevant son reflet dans un lac, il en tomba follement amoureux, à tel point qu'il finit par se noyer. Certes, la quête de Narcisse est légitime et un sain intérêt pour soi est nécessaire, mais cela peut aussi conduire à des excès si la quête s'appuie sur un manque qui n'est pas reconnu. L'un des fondements essentiels de la personnalité du narcissique est la quête quasi obsessionnelle d'un reflet pour se sentir exister. Le narcissique a en réalité une très faible estime de lui-même et éprouve un profond sentiment de vide et d'insuffisance qu'il compense par un surplus de «faire»; par ailleurs, comme son moi repose sur des apparences, le narcissique nie sa vérité. Il est en fait construit autour du «par être», qui pare l'être d'une vérité qu'il ignore, car il a été privé de reflet.

C'est peut-être la fragilité narcissique qui contribue tant à la frénésie collective autour de la télé-réalité: «Si je suis vu à la télé, j'existe; si je suis populaire, j'ai de la valeur.» Quelle faille narcissique notre société cherche-t-elle donc à corriger en mettant un tel accent sur le regard public et en imposant un tel rétrécissement de l'espace entre le public et le privé?

Avec la télé-réalité, le moi devient de moins en moins privé et est de plus en plus sous l'emprise du collectif. Nous en venons ainsi à confondre le public et le privé, la réalité et la fiction. La télé-réalité véhicule le mythe qui veut que, parce que nous sommes vus, nous ayons de la valeur. Ce n'est pas parce que le film de notre vie est porté à l'écran qu'il aura davantage de sens et de valeur. Notre vie est un récit, certes, mais parce que nous en sommes les créateurs, non parce que des milliers de téléspectateurs la regardent. Dès que notre vie devient publique, nous sommes exposés au verdict populaire, donc soumis aux caprices du collectif.

La matrice est une belle illustration de ce qui se produit dans les émissions de télé-réalité. Dans les deux cas, les participants se croient libres, les spectateurs comme les habitants de la cité croient que «c'est vrai». Mais il y a quelque part un gars des vues qui sélectionne les scènes et qui a préalablement choisi les participants en fonction de critères spécifiques. «Les spectacles de réalité signent les noces de l'individualisme et du populaire[18]», dit à ce sujet, Alain Ehrenberg. Face au verdict populaire, l'individu ordinaire, le simple passant, se doit d'être toujours intéressant, de captiver et de distraire la masse à tout moment. Parallèlement, notre vie se devrait aussi d'être une œuvre captivante; or c'est bien sûr impossible tout le temps. C'est ce qui nous noie dans le sentiment d'insuffisance.

À ce titre, le comédien a une longueur d'avance, car il sait que, lorsqu'il joue, il joue un rôle. Le comédien peut faire la différence entre la scène et le monde réel. Peut-être que le leurre de la télé-réalité vient justement de ce que celle-ci pousse les gens à *faire semblant pour de vrai.* C'est aussi le piège du narcissique. La télé-réalité fait écho aux valeurs dominantes de la société. Elle commercialise la vie privée et témoigne à sa façon de la profonde incapacité de jouer de nombre de personnes. L'art n'est plus un jeu mais une compétition. On ne chante pas pour le plaisir mais pour une industrie. Une industrie où nous sommes en danger de mort parce que nous avons pris le regard de l'autre pour seule mesure de notre valeur personnelle. Ce faisant, nous régressons à l'époque des Romains, quand le sort des gladiateurs reposait sur le vote de la foule, qui se devait

18. Alain Ehrenberg, *L'individu incertain*, Paris, Calmann-Lévy, 1995, p. 179.

d'influencer l'empereur; ce dernier tournait alors son pouce vers le haut ou vers le bas pour signifier la vie ou la mort.

Développer une bonne estime de soi n'est donc pas une tâche anodine dans un contexte social qui fait dépendre le sentiment d'exister du regard de l'autre et prône la quête désespérée de ce regard. Nous devons donc redoubler de vigilance pour donner des bases solides à notre estime de soi et cultiver le regard unique que nous portons sur le monde, d'autant plus que commence très tôt le conditionnement du petit animal de foire qui devra distraire la masse pour se sentir aimé. Outre le fait que nous sommes placés de plus en plus jeunes devant l'objectif de la caméra de nos parents, l'école reprend souvent ces valeurs à son compte. Dans une école primaire où j'assistais à la remise des prix de fin d'année, le directeur de l'école avait eu recours au concept de *Star Académie* en guise de métaphore de la vie future des enfants. Il leur a mis dans la tête qu'ils étaient tous des stars en puissance et devaient donc aspirer à en devenir une réellement. J'ai réalisé ce jour-là avec tristesse que c'est peut-être ainsi que l'on prépare les jeunes à arrêter de s'amuser pour les transformer en «karaokés» mécanisés.

La maîtrise de soi

La maîtrise de soi implique essentiellement notre capacité à négocier avec notre monde émotionnel. Mais le monde d'aujourd'hui est-il plus stressant que l'univers du Moyen Âge, quand tout un chacun risquait de se faire couper la tête avant même d'atteindre la lisière de la forêt? Sommes-nous à ce point habitués au confort que celui-ci nous coupe du réel? Au point que nous tolérons difficilement notre vie émotive lorsqu'elle n'est pas conforme à nos idéaux de perfection, ce qui en complique la maîtrise? Nous déprimons alors, peut-être pour nous accrocher au peu d'humanité qu'il nous soit possible d'incarner. À ce titre, la dépression, comme le souligne Ehrenberg dans son livre passionnant, «est une maladie de la responsabilité que domine le sentiment d'insuffisance. Le déprimé n'est pas à la hauteur, il est fatigué d'avoir à devenir lui-même[19]». Selon l'auteur, la dépression serait une maladie de la responsabilité et de l'initiative. Une réaction à notre société prônant le *self-made-man* et la réalisation de soi à tout prix, et qui ne tient pas compte de notre vie émotionnelle réelle, essentiellement chaotique.

Je suis *fiou* !

Les Inuits disposent de plusieurs termes pour désigner la neige, ce qui leur permet de percevoir les riches subtilités de leur environnement extérieur. Mais comment pouvons-nous enrichir notre monde intérieur si nous dévalorisons des émotions telles que la colère et la peine ?

Lorsque je suis allé en Polynésie française, sur l'île de Hiva Oha, j'avais élu domicile dans une sympathique petite auberge ; mais son prix était un peu trop élevé pour mes moyens. Un jour, j'ai mentionné à mon hôte que je partirais avant la date prévue, car j'avais trouvé un endroit moins cher dans une autre partie de l'île. L'homme s'est alors refermé sur lui-même et a refusé de me parler pendant le reste de mon séjour. Fortement intrigué par sa réaction, j'ai appris qu'il était *fiou* et que ma nouvelle l'avait simplement déprimé, car la saison touristique était difficile pour lui. *Fiou* est un mot inventé par les Polynésiens afin de traduire un état de lassitude passager. Un tel état est accepté dans leur communauté et n'est aucunement jugé comme l'est la dépression dans la nôtre. En créant ce mot, les Polynésiens sont parvenus à faire socialement une place à l'émotion qu'est la tristesse ; ils n'ont ainsi plus à supporter le poids écrasant du regard social. Par exemple, si un ouvrier se sent *fiou* un matin, il n'ira pas travailler et son employeur ne lui en tiendra pas rigueur. Bien sûr, cette façon de faire serait inacceptable dans notre monde occidental, mais elle donne à réfléchir. Pouvons-nous accorder une place à nos états d'âme au sein d'une société qui ne tolère pas que nous puissions « tomber en panne » ?

---

19. Alain EHRENBERG, *La fatigue d'être soi : Dépression et société*, Paris, Odile Jacob, 1998, p. 11.

Un moi solide n'est donc pas un moi qui ne déprime pas. Un moi solide est un moi capable de bien médiatiser sa vie intérieure. Il fait preuve d'un vocabulaire émotionnel riche et d'une capacité à symboliser et à maîtriser ses états d'âme, car nommer l'émotion, c'est en partie la maîtriser. *Il s'agit de créer une grammaire de notre vie intérieure afin de pouvoir conjuguer tous les verbes de notre être.* Cette vie émotionnelle a toutefois besoin d'être encadrée. Toute grammaire doit avoir des règles pour pouvoir être utilisée sciemment. J'avais une patiente qui avait appris à exprimer ses émotions, mais d'une façon plutôt cavalière. Elle envoyait promener tout le monde autour d'elle et elle était surprise de ne plus avoir d'amis. Par ailleurs, quand elle avait besoin de quelque chose, au lieu de s'exprimer au Je, elle recourait toujours au Tu. Par analogie, on peut dire que l'affirmation peut être un talent, mais que la maîtriser est un art qui doit tenir compte des autres et de leurs sentiments.

Le vocabulaire émotionnel devrait être une matière de base à l'école. Il faudrait apprendre à identifier nos émotions par le biais des mots, et non nous contenter de gestes, afin de compenser l'utilisation abusive des outils informatiques qui modèlent nos comportements. Ce manque de vocabulaire se traduit par une foule de difficultés d'adaptation, particulièrement sur les plans émotionnel et relationnel. C'est d'ailleurs ce qu'avait déclaré Gilles Vigneault au sujet de Marc Lépine, l'homme qui a commis les meurtres à l'École polytechnique de l'Université de Montréal voilà quelques années: «Que peu de vocabulaire cet homme avait!» Notre vie émotive est basée sur l'intensité et la recherche constante de gratifications instantanées. Il y a donc de moins en moins d'écart entre le désir et la satisfaction du désir, ce qui complique d'autant la maîtrise des émotions.

Les trois petits cochons

Imaginez que vous êtes un enfant et que quelqu'un vous propose un bonbon tout de suite ou deux bonbons dans une heure. Que faites-vous? Cette question fut le point de départ d'une recherche[20] visant à établir dans quelle mesure les enfants développent leur aptitude à maîtriser leurs pulsions. Les chercheurs ont pu affirmer que l'enfant qui parvient à retarder la satisfaction de ses pulsions aura plus de chances de s'adapter au monde extérieur que celui qui les satisfait tout de suite. La valeur prédictive de cette recherche est apparue évidente lorsque les sujets sont devenus adolescents. Ceux qui avaient résisté à la tentation étaient mieux armés pour faire face aux demandes de la vie. De plus, les résultats obtenus au test des bonbons prédisent deux fois mieux que le QI quels enfants réussiront aux examens d'entrée des établissements d'enseignement supérieur !

L'éternel conflit entre la pulsion et la retenue est l'un des thèmes centraux du conte des *Trois petits cochons*. D'après l'interprétation de Bruno Bettelheim[21], le premier petit cochon, qui construit sa maison sur la paille, représente le principe du plaisir. Il est celui qui se dépêche de finir pour pouvoir aller jouer dehors. On sait ce qui lui arrive : sa maison est détruite et il est mangé par le loup, qui symbolise les pulsions de son inconscient. Le deuxième petit cochon est un peu plus évolué et construit sa maison en bois. Il est plus ancré dans la réalité mais se fera tout de même manger par le loup. Le seul qui fait preuve de maîtrise de soi est le troisième, qui sacrifie tout son temps libre à bâtir lentement et péniblement une maison de briques. Il incarne ici le moi qui arrive à faire face à ses pulsions et à les contenir pour s'adapter efficacement à la réalité. Non seulement il résiste aux assauts du loup, mais il finit par manger le loup ! Ce faisant, de manière symbolique, le dernier petit cochon retrouve ses deux frères.

---

20. La recherche, effectuée par le psychologue Walter Mischell dans une garderie de l'Université de Stanford, est citée notamment par deux auteurs, Scott Peck, *Le chemin le moins fréquenté : Apprendre à vivre avec la vie*, Paris, J'ai lu, 2002 et Daniel Goleman, *L'intelligence émotionnelle*, Paris, Robert Laffont, 1997.
21. Rapportée par Luc Ferry, *Qu'est-ce qu'une vie réussie ?*, Paris, Grasset, 2002.

Les émotions et le temps

La maîtrise des émotions n'est pas une mince tâche. Dans la perspective bouddhiste, la détresse émotionnelle vient du désir de contrôler ce qui en fait est incontrôlable. Parmi les états les plus difficiles à maîtriser se trouvent l'anxiété et la dépression, qui sont en partie des symptômes de notre incapacité à gérer le temps. Lorsque nous éprouvons de l'anxiété, c'est que nous cherchons à contrôler le futur alors que, lorsque nous sommes déprimés, nous tentons de maintenir dans le présent un temps révolu. L'anxieux ne peut plus puiser dans le passé pour trouver des repères sécurisants dans son histoire, et le dépressif ne fait plus de projets.

L'individu anxieux est comparable à un chasseur de nuages qui, apprenant l'arrivée de la pluie, tente à tout prix de disperser les nuages dans le ciel afin d'éviter l'averse. En cas d'imprévu, il est préférable de se faire confiance et de faire appel à ses propres ressources – un parapluie, par exemple ! Encore mieux : il est souhaitable de bien identifier la source de son anxiété, car bien souvent, elle résulte de l'amplification d'une menace qui n'est pas réelle. Et comme le cerveau émotionnel ne fait pas la différence entre un danger réel et un danger imaginaire, il s'emballe pour des riens et nous devenons rapidement le plus efficace des scénaristes de films d'horreur. La capacité de se créer des drames peut parfois aller loin. Les bons effets spéciaux nous faisant croire en des événements imaginaires, mais qui pourraient éventuellement se produire, n'existent pas qu'au cinéma. Christiane Singer[22] rapporte, par exemple, l'histoire d'un ouvrier qui a été enfermé par erreur dans un wagon réfrigéré et qui est décédé d'hypothermie. L'homme est mort vraisemblablement parce qu'il croyait qu'il était en train de geler alors que le système de réfrigération du wagon n'avait même pas été branché et que la température réelle se situait dans les normales.

22. *Op. cit.*

Les arcs-en-ciel de l'âme

Lorsque nous ressentons de la peine ou que nous nous sentons déprimés, c'est que nous avons perdu quelque chose, ce qui nous renvoie nécessairement au passé. De façon générale, la dépression est associée à la tentative de contrôle d'un temps révolu. Dans la dépression, le temps ne passe pas : nous avons perdu quelque chose et nous tentons de le faire revivre en en perpétuant le souvenir. La fonction principale de la peine est de nous permettre de reprendre nos forces afin de faire face à un prochain changement. Le très joli proverbe d'après lequel « l'âme n'aurait pas d'arcs-en-ciel si les yeux n'avaient pas de larmes » dit bien la nécessité de la peine et de l'état dépressif.

Habituellement, le deuil se fait et nous retrouvons de nouvelles forces après avoir traversé la perte, ce qui nous permet de nous réadapter au monde. Mais il arrive parfois que nous nous enlisions dans des ruminations interminables. La mélancolie, bien qu'elle soit « le bonheur d'être triste », comme l'écrivait Victor Hugo, devient alors un facteur d'inadaptation. Lorsque la dépression se transforme en mélancolie, le moi est atteint de petitesse, d'insuffisance. Il est dévalué par la perte, un peu comme si ce n'était pas quelque chose d'extérieur qu'il avait perdu, mais plutôt une partie de lui-même. Les personnes mélancoliques n'ont pas le sentiment d'avoir perdu un emploi, un être cher ou un rêve, mais une partie de leur identité, ce qui complique le processus naturel de deuil.

Le moi est atteint lorsque sa réalité est ébranlée par une perte qui le coupe de ses idéaux de grandeur ; et comme il a honte de déprimer, le poids du regard social l'écrase. Pour cette raison, ainsi que le souligne Ehrenberg, « [l]a dépression freine la toute-puissance qui est l'horizon virtuel de l'émancipation[23] ». La dépression nous apprend que nous ne sommes pas tout-puissants, comme tente de nous le faire croire notre société. En ce sens, elle nous prépare et nous invite au changement, à modifier notre façon de penser.

23. Alain Ehrenberg, *La Fatigue d'être soi*, p. 174.

S'il y a des maladies qui nous guérissent, comme le disait Van Gogh, la dépression est probablement de celles-là.

« Régler » ses émotions ?

Dans certains cas, le moi ne dispose pas d'assez de ressources pour faire face aux émotions intenses qui l'animent, et la personne peut avoir besoin de médication. Des composantes biologiques et biochimiques interviennent aussi, comme dans la dépression endogène. En abordant la question de la maîtrise des émotions du point de vue du temps et du sentiment d'insuffisance, il n'est aucunement dans mon intention de simplifier un sujet aussi complexe. Je ne crois pas non plus qu'un simple livre puisse donner des « trucs » miracles pour « régler » les problèmes affectifs. La maîtrise des émotions, de l'anxiété et des états dépressifs est le travail d'une vie.

Les états émotionnels font partie de la condition humaine et ils ont un sens, une raison d'être. Les émotions sont de puissants outils, propres à nous guider tout au long de notre individuation. Nos émotions ne surgissent pas sans être déclenchées par quelque chose. Elles nous informent de ce qui se passe dans notre inconscient, elles nous relient à nos complexes, à nos zones de sensibilité et aux thèmes qui animent notre mythe personnel. Il ne s'agit pas non plus de développer un « perfectionnisme » émotionnel, mais simplement de prêter une oreille attentive à notre vie émotionnelle afin de retrouver notre place comme sujet de notre histoire en nous connaissant mieux.

Nous avons une prise sur la gravité des événements, sur le poids des choses. Nous avons un pouvoir sur la façon de disposer notre caméra alors que nous n'en avons pas vis-à-vis des événements extérieurs que nous ne pouvons contrôler. À défaut de pouvoir modifier le scénario d'une scène difficile, l'intelligence émotionnelle nous permet de changer l'angle de la caméra et de faire quelque chose de créatif.

Cette nouvelle façon de voir fait aussi envisager la thérapie sous un autre angle. Éliminer la dépression n'est pas nécessairement le but premier de la thérapie. Quant à moi, j'aborde la thérapie de la même façon qu'un éditeur aborde un manuscrit, non comme un mécanicien voulant réparer une voiture. Je tente de découvrir avec la personne les thèmes importants de son histoire de vie de façon à lui permettre de l'écrire au lieu de la subir. Découvrir son mythe personnel consiste à redonner une place juste à la vie émotionnelle qui nous cause des maux de tête lorsqu'elle est négligée. « Il vaut mieux être complet que parfait », a dit Jung. Autrement, nous pouvons bien tenter de fonctionner parfaitement en augmentant notre productivité et en nous gavant de médicaments pour éliminer nos signaux émotionnels, mais nous risquons alors de devenir les effets secondaires de l'humanité...

L'aide de l'inconscient

L'un des apports les plus précieux de Jung aura été de montrer que l'inconscient collectif est un savoir accessible à tous. Nous pouvons nous appuyer sur lui dans notre quête de nous-mêmes, ainsi que le montre le parcours du héros décrit par Joseph Campbell, et ce, tout au long de la formation de notre moi. Dans *Les hasards nécessaires*, j'ai défini la synchronicité comme une coïncidence chargée de sens qui vient débloquer une situation. Elle survient généralement en période de tension et vise à transformer un état. Il est maintenant temps de nous pencher sur une faculté qui nous permet de décoder les formes plus subtiles des messages de l'inconscient tout au long de notre individuation.

Pour nommer cette faculté, j'ai emprunté le terme anglais *serendipity*, un mot inventé en 1754 par le philosophe anglais Sir Horatio Walpole, afin de qualifier la faculté qu'ont certaines personnes de trouver par hasard ce dont elles ont réellement besoin. Le mot « sérendipité » fut introduit dans la langue française par Henri Mendras en 1953. Comme le terme anglais, il renvoie à Serendip, la ville de la légende qui lui a donné naissance. Dans cette légende, les trois princes de Serendip trouvent tout ce dont ils ont besoin par hasard. Je conçois en quelque sorte la *sérendipité* comme la faculté de lire dans le monde les oracles ; autrement dit, la faculté intuitive de répondre de façon créative aux messages de l'inconscient et aux événements de la vie.

L'intuition et la sérendipité

La faculté de sérendipité apporte un élément essentiel à la réflexion sur la synchronicité et sur le processus d'individuation ; elle dit la capacité du héros de se fier à son intuition pour trouver autour de lui les outils et les occasions dont il a besoin pour mener sa mission à bien.

Combien de fois, en utilisant Internet, avons-nous trouvé la bonne information sur un site où nous ne la cherchions pas au départ? En musique, par exemple, cette faculté permet de trouver les bonnes notes par hasard. Je me souviens d'un petit chat qui, en marchant sur mon clavier, m'a fait découvrir les premières notes d'une pièce que j'ai composée. Bien sûr, j'ai dû structurer une musique par la suite, mais celle-ci avait été entamée par cette petite boule de poils.

L'inconscient produit des rêves qui ont un impact sur notre vie même lorsque nous n'en comprenons pas le sens. Travailler à décoder nos rêves peut nous aider à développer notre conscience de soi. De son côté, la synchronicité se produit spontanément et nous transforme même lorsque nous ne sommes pas conscients de ce qui se passe ; quant à la sérendipité, qui lui est complémentaire, elle demande un travail de création de sens. Le moi, pour faire preuve de sérendipité, doit apprendre à jouer avec ce qui lui arrive, il doit prendre position par rapport à ses intuitions et aux occasions qui se présentent, à défaut de quoi celles-ci demeurent muettes. « Une occasion, c'est un hasard qui fait des offres de service », disait le philosophe français Vladimir Jankélévitch ; nous pouvons y répondre de façon créative ou pas.

Si nous disons que la synchronicité est un rendez-vous avec soi, la sérendipité serait alors la faculté intuitive de répondre aux rendez-vous de la synchronicité. La sérendipité est ainsi le complément actif qui nous permet de déceler le sens des synchronicités plus subtiles de l'existence, ce que j'ai appelé les *microprocessus symboliques* dans *Les hasards nécessaires*. L'intuition, cette capacité de percevoir un savoir instantanément et d'en voir les possibilités, est donc à la base de la sérendipité. Elle nous permet de saisir immédiatement ce que la raison mettrait des heures à comprendre. L'intuition nous met en relation avec l'essence des choses et nous aide à faire le lien entre celles qui sont apparemment inconciliables. Le principe de champagnisation développé par Dom Pérignon, la pasteurisation mise au point par Louis Pasteur, qui a justement dit que « [l]e hasard ne favorise que les esprits bien préparés », et les rayons X découverts par Wilhelm Röntgen sont des exemples célèbres de transformation intuitive par sérendipité.

La sérendipité est intéressante à plus d'un titre. Tout d'abord, elle nous rappelle que nous sommes entourés d'occasions dont nous ignorons l'existence et que ce n'est pas parce que nous ne les voyons pas qu'elles n'existent pas. Les erreurs et les imprévus peuvent être sources de progrès importants. Ils permettent de remettre en question les habitudes, les certitudes et les normes usuelles. L'innovation, source de changement, peut être le fait de n'importe qui et surgir n'importe où. À ce titre, nombre de grandes compagnies organisent des réunions où elles invitent des gens de domaines parfois fort éloignés du leur afin de stimuler la créativité de leurs dirigeants et de leurs employés. Les découvertes scientifiques importantes sont d'ailleurs souvent le fait de gens qui n'appartiennent pas à la discipline dans laquelle ils font leur découverte.

Quelques pistes pour développer la sérendipité

- Observer et laisser les événements advenir et se manifester le plus simplement possible ;
- Chercher le sens principal d'un événement, c'est-à-dire l'idée essentielle qui lui est sous-jacente ;
- Poser des questions comme les enfants. Arthur Fry a par exemple inventé les *post-it* en se demandant ce qu'il pouvait faire avec « une-colle-qui-ne-colle-pas » ; le regard d'enfant qu'il pose sur le monde et la façon poétique avec laquelle il formule ses questions nous rapprochent du langage symbolique ;

- Être attentifs aux erreurs et aux accidents et nous demander comment en profiter, comment transformer une bévue en occasion ;
- Faire preuve de flexibilité face à l'imprévu ;
- Être à l'écoute de nos proches et des rencontres que nous faisons dans le quotidien ; une foule d'inconnus partagent notre route et nous offrent des occasions d'apprendre quelque chose ; les transports en commun, les aéroports, les gares, ces endroits de transition peuvent donner lieu à d'heureuses rencontres ;
- Être à l'écoute du sens caché des mots ; les mots que nous utilisons ont souvent un sens bien différent de celui que nous connaissons ; chercher d'autres sens nous permet d'avoir accès à de nouveaux points de vue et de découvrir un sens nouveau aux choses qui nous entourent.

Épouser le temps de l'âme

Plus globalement, il s'agit d'épouser le flot naturel de la vie, de suivre le sens, le mouvement des choses et de remplir l'espace qui nous entoure. Wayne Gretzky, le célèbre joueur de hockey, faisait preuve d'intuition et de sérendipité en ne patinant presque jamais là où était la rondelle. Il préférait plutôt patiner à l'endroit où elle se dirigeait, ce qui lui donnait une longueur d'avance sur tous les autres joueurs. Il avait des intuitions sur le jeu à venir et savait comment prendre position sur la glace afin de profiter des occasions de buts.

Les gens qui font preuve de sérendipité emplissent totalement l'espace qu'ils occupent, ils habitent le monde tout en gardant un lien avec le Soi, car lorsque le moi entre dans le mouvement, il le fait en relation avec les appels et les élans venant du Soi, le centre de la psyché. C'est en nous approchant de ce centre et en nous reliant à l'essence des choses que nous pouvons toucher l'essentiel. Nous pouvons alors créer des possibles avec peu, découvrir de nouveaux univers par le biais d'une simple situation ou d'un mot banal qui se révèle avoir plusieurs sens. Lorsque nous étions enfants, que nous trouvions une branche sur la route et la transformions en mât de bateau, nous faisions en quelque sorte preuve de sérendipité.

Lire le monde

Avons-nous perdu cette capacité de transformer les bouts de bois en mâts de bateau? Manquons-nous à ce point d'imagination pour ne plus découvrir dans le monde ce dont nous avons besoin? Nous vivons dans une société qui ne sait que faire de la dimension symbolique des choses, car elle valorise uniquement leur dimension fonctionnelle et mécanique, ce qui limite notre possibilité de créer.

L'incapacité du moi à «lire» les événements de la vie et à les relier à son histoire est, à mes yeux, aussi dommageable pour l'âme que le manque d'exercice physique pour le corps. Nous avons donc tout intérêt à apprendre à développer la capacité de symbolisation; intérêt à pratiquer l'activité symbolique en développant notre faculté de sérendipité et en nous interrogeant sur le sens essentiel de ce qui nous arrive; bref, à retrouver notre capacité à voir l'essentiel derrière les choses, à percevoir les moutons dans les caisses, pour reprendre une idée chère à Saint-Exupéry[24].

Dans notre monde d'images, notre moi fait de «l'embonpoint psychique», il gobe des milliers d'images en demeurant passif devant elles. Nous regardons notre vie en *zappant*, sans nous impliquer dans le travail de liaison. Nous parvenons difficilement à transformer ce qui nous arrive et nous attendons bien souvent paresseusement que notre ordinateur ou les autres le fassent à notre place. *Nous croyons vivre dans une société de loisirs; en réalité, c'est peut-être nous qui avons perdu notre capacité de jouer.* Nous croyons vivre dans une société individualiste alors que, à l'examen, c'est notre moi qui semble se livrer à la quête incessante d'un regard social qui ne peut que l'affaiblir. Nous cherchons peut-être trop à être regardés, au lieu de regarder le monde et de l'observer pour prendre conscience de la place que nous y occupons.

La conscience est le produit de la longue histoire de la vie sur terre, mais son équilibre est fragile devant un

---

24. Antoine de SAINT-EXUPÉRY, *Le petit prince*, Paris, Gallimard, 1943.

inconscient millénaire. Le moi doit donc réapprendre à jouer pour créer sa vie et continuer à s'adapter afin d'augmenter son niveau de conscience, à défaut de quoi il «se fait jouer» par l'inconscient. C'est d'ailleurs ce qui faisait dire à Jung que «[l]'homme n'est complètement humain que lorsqu'il est en train de jouer».

CHAPITRE 3

Le mythe de sa vie au travail

Nous travaillons sans recul. Pour un canon
c'est un progrès. Pas pour un cerveau.

JEAN-LOUIS SERVAN-SCHREIBER

La meilleure façon de tuer un homme est
de le payer à ne rien faire.

FÉLIX LECLERC

Dans un collège logé entre les vertes montagnes du Vermont, une poignée d'adolescents se sont regroupés autour d'une photographie d'anciens finissants. Devant eux se tient leur nouveau professeur de littérature, monsieur John Keating[25], un homme plutôt excentrique, qui monte parfois sur son bureau afin d'inviter ces jeunes à percevoir le monde sous un jour nouveau et de libérer leur esprit. Ce jour-là, il a conduit ses élèves devant cette

25. Le nom du professeur, *Keating*, évoque *Kiting*, soit faire voler son cerf-volant, suggérant l'idée d'envol et d'élévation.

photographie afin de leur rappeler que nous sommes tous de la nourriture pour vers de terre et qu'un jour viendra où nous fertiliserons les jonquilles par la racine: «C'est pourquoi nous devons donner un sens extraordinaire à notre vie dès aujourd'hui», leur suggère-t-il.

Plusieurs élèves seront touchés par le message de leur professeur. Neil Perry, par exemple, osera défier son père et le scénario conformiste qu'il veut lui imposer, et se découvrira une passion pour le théâtre. Son compagnon de chambre, Todd Anderson, souffrant de timidité maladive, sortira de sa coquille au contact de cet enseignant hors du commun.

La société des poètes disparus

Vous aurez sans doute reconnu les personnages du film-culte du début des années 1990. Les films de ce type nous donnent des ailes capables de nous transporter au-delà des âges de la vie. Ce film marqua profondément mon entrée dans le monde adulte et inspira fortement ma génération. Il est arrivé à un moment clé de mon histoire, lorsque j'ai eu à faire un choix de carrière. Il m'a fait comprendre que ce n'est pas tant ce que nous ferons, le métier que nous pratiquerons, qui importe, mais davantage la façon dont nous habiterons notre rôle dans la société et, surtout, dont nous préserverons l'unicité de notre regard pour pouvoir l'offrir aux autres.

Nous avons tous connu, de près ou de loin, un monsieur Keating, soit un professeur enthousiaste qui a su faire naître des passions. Pour ma part, ce fut Geneviève, la formatrice de Tel-Aide qui m'enseigna l'écoute téléphonique alors que j'entrais dans ma seizième année. Cette femme, par son sens de la poésie et le regard original qu'elle portait sur le monde, a marqué mon adolescence. Je lui dois d'avoir véritablement découvert ce que peut être l'écoute des autres, mais aussi, et surtout, d'avoir appris à écouter les multiples aspects de moi-même.

Une façon intéressante de mettre en relation les différentes facettes de sa personnalité est de les transposer sur les personnages de film. Par exemple, ceux de *La société des poètes disparus* représentent divers aspects de notre personnalité. Monsieur Keating pourrait ainsi symboliser le Soi qui inspire les élans créateurs auxquels nous décidons de répondre ou non. Le premier qui répond à ses élans, Neil, représente l'innocence et le principe de plaisir ; il doit apprendre à faire face à la réalité, en l'occurrence au scénario de vie que son père a imaginé pour lui. Celui-ci incarne au contraire l'instance morale qui étouffe les élans créateurs. Todd, le jeune garçon timide et inhibé, incarne le moi prisonnier du regard social, aux prises avec une persona qui le pousse à se faire accepter à tout prix. Tout comme Todd, nous oscillons et hésitons à répondre aux appels du Soi. Mais Todd découvrira sa voie au contact de monsieur Keating.

Dans une scène particulièrement touchante, alors qu'il se retrouvera devant la classe sans avoir préparé ni écrit de poème, comme l'avait demandé le professeur, il récitera spontanément sa propre poésie. À la toute fin du film, il sera le premier à braver l'autorité de monsieur Nolan en montant sur son bureau et en s'opposant au renvoi de monsieur Keating. Le directeur de cette école hautement conformiste, symbolisant une tradition sans âme parce qu'elle n'est pas enracinée dans un sol (Nolan comme *no land*), a en effet remercié le professeur Keating, car il jugeait son idéalisme responsable du suicide de Neil.

Tout comme Neil, nous avons bravé l'adversité et affronté des obstacles dans la poursuite de nos rêves. Comment avons-nous réagi ? Pour Neal, qui a été privé de sa capacité de jouer toute sa vie, il dira justement : « Jouer, c'est tout pour moi. » Pour cette raison, et parce qu'il a été privé de sa capacité de jouer, il se sentira incapable de faire son service militaire et d'entrer en médecine à Harvard, comme le veut son père après avoir assisté à son interprétation de Puck dans *Le songe d'une nuit d'été.* Plutôt que de se conformer au scénario de la vie que son père tente de lui imposer à défaut de l'avoir lui-même vécu, Neil optera pour autre chose. Il fera ce que trop d'adolescents font lorsqu'ils se sentent incompris et qu'ils ne trouvent pas d'espace de jeu et de parole : il se tuera à le dire. Ce poète disparu nous rappelle que notre société manque dangereusement d'imagination. Nous vivons dans un monde qui devrait sans doute apprendre à *Rêver mieux*, pour reprendre le titre du disque de l'un des plus grands poètes du Québec, Daniel Bélanger. Ce film nous invite ainsi à nous poser cette question essentielle: quelle poésie sommes-nous capables d'offrir au monde pour que le spectacle continue?

Le jeu et le travail

L'une des façons les plus universelles de contribuer au spectacle de la vie est le travail. Il y a certes plusieurs façons de concevoir le sens du travail, mais disons qu'essentiellement, il est une opération de transformation du monde. De l'ouvrier d'usine au PDG d'une grande entreprise, le travailleur transforme son environnement au moyen de son métier. Comme la nature tend vers le désordre, le travail est nécessaire afin de mettre de l'ordre; comme le beurre n'arrivera pas par magie sur notre table, nous devons travailler pour l'obtenir.

Nos ancêtres, qui vivaient dans les déserts inhospitaliers de l'Afrique, consacraient de trois à cinq heures par jour à ce que nous pouvons appeler le travail; ce temps de travail leur permettait d'obtenir la nourriture et les vêtements nécessaires à leur survie. Le reste de la journée, ils le passaient à discuter, à dormir et à danser. À l'opposé, l'homme moderne de la société nord-américaine consacre bien souvent douze heures par jour et six jours par semaine à son travail. C'est pourquoi il importe d'autant plus que nous trouvions un travail qui corresponde à notre identité et qui nous permette d'agir sur le monde en fonction d'elle. Pour chacun, le défi du travail consiste à transformer sa question intime en action, c'est-à-dire à faire ce qu'il sait le mieux faire.

Naturellement, nous ressentons le besoin d'intervenir sur notre environnement, et ce, dès notre plus tendre enfance. Les jeux des enfants, par exemple, sont les premières façons de transformer le monde. Les emplois que nous occupons aujourd'hui en sont des prolongements. À quoi jouiez-vous lorsque vous étiez plus jeunes? Pouvez-vous faire un lien avec votre travail actuel? Je me souviens que j'adorais jouer avec des Lego. Certes, la plupart des enfants que nous sommes ont joué à ces jeux de construction, ce qui ne veut pas dire que nous sommes tous devenus des architectes, des entrepreneurs ou des mécaniciens. Lorsque je dis que les jeux d'adultes sont le prolongement des jeux d'enfants, je veux parler de leur essence. En ce qui me concerne, j'ai opté pour jouer aux Lego avec le *logos* – terme latin signifiant le «verbe» – tout d'abord en permettant aux gens de jouer et d'assembler les morceaux éparpillés de leur histoire par mon travail de psychologue, et ensuite en écrivant. Je joue maintenant au jeu de Lego avec des idées. Je transforme des concepts, je les assemble, je m'amuse avec les idées lorsque j'écris. Ces activités, qui sont une complexification du jeu auquel je jouais lorsque j'étais enfant, me procurent de très grandes satisfactions.

Lorsque nous cessons de jouer

Le travail occupe une grande place dans l'individuation et il représente un défi de taille dans nos sociétés. Selon l'association des assureurs du Canada, en dix ans, les problèmes de santé mentale au travail auraient augmenté de 260%, et les coûts impliqués représenteraient actuellement 17% de la masse salariale des entreprises[26]. Nous avons de plus en plus de difficulté à garder notre capacité de jouer au travail, car nous entrons dans l'industrie de la performance bien souvent possédés par une ambition qui nous coupe de notre créativité. Certes, les causes d'insatisfaction au travail sont nombreuses. La plupart des recherches soulignent cependant qu'il en existe quatre principales:

- l'insatisfaction reliée aux tâches; c'est le cas lorsque nos capacités et nos talents sont sous-évalués, ou que nous ne nous sentons pas à notre place;
- le stress; il apparaît quand les demandes du milieu sont trop élevées par rapport à nos aptitudes;

26. Conférence de Charles-Henri Amherdt, professeur de psychologie (Université de Sherbrooke), lors du congrès sur le bonheur organisé par Contact Richelieu-Yamaska, Saint-Hyacinthe (Québec), 2004.

- les conflits interpersonnels avec des collègues de travail et des supérieurs, ainsi que le manque d'encadrement et de reconnaissance ;
- la conciliation du travail et de la vie de famille.

La question qui m'apparaît essentielle en regard du choix d'un travail est donc : quelles parties de ma personne vais-je mettre à profit pour participer à la transformation de la collectivité tout en gardant vivante ma créativité ?

Le *flow*

Pour le psychologue russe Mihaly Csikszentmihalyi[27], le bonheur, tant au travail que dans la vie en général, résiderait dans l'espace étroit se situant entre les défis que nous adresse le milieu et nos capacités ; c'est ce qu'il appelle le *flow*, que l'on peut traduire par flux, ou par courant en référence à l'eau qui suit son cours. Pour Csikszentmihalyi, ce n'est pas en obtenant des satisfactions uniquement matérielles et individuelles, comme des voyages ou de l'argent, que nous parvenons au bonheur, mais en nous affairant à des activités qui nous procurent le sentiment de nous dépasser. Le *flow* se caractérise par un état émotionnel bénéfique résultant de l'adéquation entre l'être et le faire. Prenons l'exemple d'Alex, qui apprend à jouer au tennis. Sur le graphique qui suit, l'axe ascendant indique les défis alors que l'axe horizontal indique les aptitudes. Au stade initial, Alex n'a pas d'aptitudes particulières et se contente de renvoyer la balle du mieux qu'il peut. Il est donc à l'état A_1. Pour demeurer dans le corridor du *flow*, Alex, dont les aptitudes se développent avec l'entraînement, doit faire face à des défis plus importants, à défaut de quoi il s'ennuiera profondément ; cela est illustré par la position A_2. S'il se trouve que son adversaire est un champion de tennis, Alex éprouvera davantage d'anxiété qu'avec un partenaire ordinaire, ce qui le conduira à l'état A_3. En résumé, Alex doit s'organiser pour relever suffisamment de défis, lesquels devront être proportionnels au développement de ses aptitudes.

---

27. Mihaly Csikszentmihalyi, *Flow, The psychology of Optimal Experience*, New York, Harper & Row, 1990, p. 74. Le graphique et l'exemple qui suivent m'ont été inspirés par le livre de M. Csikszentmihalyi ; le graphique a été adapté.

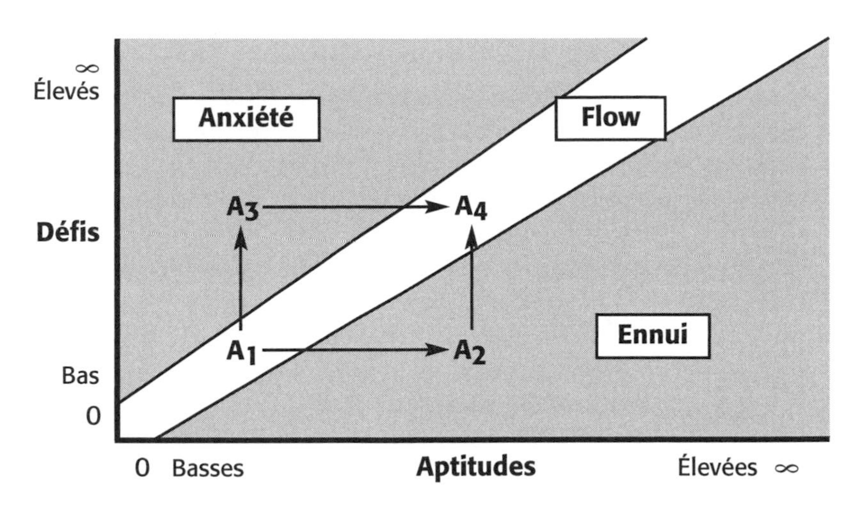

Cet exemple suppose qu'Alex ait une bonne connaissance de ses capacités et un intérêt pour le tennis. Le travail demande la même chose : si nous avons une bonne connaissance de nous-mêmes et avons choisi un travail qui nous intéresse, nous serons capables de relever les défis et nous progresserons. Si toutefois, pour diverses raisons, nous ne pouvons pas choisir un travail qui soit compatible avec nos aptitudes personnelles, nous éprouverons des difficultés à évoluer positivement. Dans ce cas, nous devrons soit tenter d'optimiser notre emploi afin de faire en sorte qu'il nous corresponde davantage, soit nous orienter vers un nouvel emploi qui nous conviendra mieux.

Les emplois « laboratoires »

Les emplois laboratoires sont ces emplois que nous savons temporaires, mais qui nous permettent de mieux nous connaître et de développer une meilleure confiance en nous-mêmes. Ils se situent généralement au-dessous de nos capacités, mais nous offrent des occasions de dépassement que nous pouvons saisir afin de rendre notre tâche plus intéressante et d'évoluer. Richard, par exemple, qui travaillait dans une usine de montage depuis cinq ans, a pu continuer de progresser en suivant des cours d'électronique le soir. Son travail ne lui convenait pas parfaitement, mais il lui permettait de se préparer en vue d'une meilleure situation. Bien sûr, il lui a fallu plusieurs années, mais il a su optimiser son travail routinier pour avancer vers ce qu'il désirait réellement, soit créer sa propre entreprise d'électronique.

Les emplois laboratoires sont un peu comme les rôles secondaires que nous acceptons de jouer avant d'obtenir un grand rôle. Il est souvent difficile de sortir d'un emploi laboratoire parce que nous n'avons pas conscience de notre valeur réelle et de nos aptitudes. Ainsi, tous les emplois laboratoires de Guillaume, qui a toujours été au service de sa mère, tournaient autour de cette notion de service, un thème important dans sa vie. Il a donc œuvré de nombreuses années comme serveur, bien qu'il en éprouvât de profondes insatisfactions. Après avoir pris conscience de sa véritable valeur et de ce problème récurrent dans ses activités professionnelles, il a entrepris des études en ergothérapie en vue de mettre sa passion pour les arts au « service » des autres...

Flow, sérendipité et recherche d'emploi

La capacité d'optimiser ses emplois pour continuer d'évoluer est intimement liée à la faculté de sérendipité, dont j'ai traité précédemment, soit cette faculté de saisir les occasions qui s'offrent à nous au hasard de la vie. Je pense par exemple à cet itinérant qui a transformé ses promenades dans les parcs de Montréal en un travail rémunéré. Son travail consiste aujourd'hui à enlever les seringues contaminées qui traînent sur les terrains de jeux pour éviter que les enfants qui y jouent ne s'infectent. Il a ainsi transformé une situation pénible en un service essentiel pour la société. Il retire maintenant une rémunération pour un travail qu'il a lui-même créé !

Personnellement, j'ai travaillé dans un hôpital comme préposé à l'entretien ménager pendant plus de dix ans. Pendant ces longues années, cet emploi laboratoire m'a permis de rêver ma vie. Pour progresser malgré ce travail répétitif, je pensais et rêvassais en l'exécutant. J'ai d'ailleurs réfléchi à une bonne partie de mon livre précédent en regardant sécher les planchers de cet établissement. Cette période compte parmi les plus belles de ma vie, même si le travail était routinier. Certes, j'éprouvais un fort sentiment d'ennui lors des longues soirées que je passais à ramasser les poubelles ou à essuyer les dégâts occasionnés par des patients mal en point dans la salle d'attente principale. Mais j'ai trouvé une autre façon de me maintenir dans le courant : je cherchais des occasions de rencontres et des façons de pratiquer mon écoute. De fait, je prenais régulièrement le temps d'écouter les patients plongés dans l'isolement, ce qu'ils appréciaient, je crois, car notre système de santé ne permet pas toujours au personnel soignant de fournir un service personnalisé.

Puis, c'est en fouillant intuitivement dans la bibliothèque du bureau de l'un des psychologues de l'hôpital que j'ai fait la rencontre de celui qui m'aida à commencer ma pratique en bureau privé. À cette époque, je terminais mes études en psychologie, et cet homme m'a donné ma chance ; il m'a offert de travailler dans une clinique de psychothérapie qu'il venait tout juste d'ouvrir à Québec.

Cette rencontre, pour moi, en est une de type synchronistique, soit une rencontre qui a créé un avant et un après dans ma vie, car elle a contribué à mettre un point au chapitre de ma vie d'étudiant et à me faire quitter mon emploi laboratoire. Elle a créé un pont entre deux temps de ma vie, soit celui de l'étudiant et celui du travailleur. Le plus amusant, c'est que je n'ai appris que lors du lancement de mon livre précédent pourquoi mon père m'avait fait entrer comme préposé à l'entretien dans cet hôpital, lorsque j'avais abandonné mes études, dix ans plus tôt. Le geste de mon père avait un sens caché : en me donnant un travail qui ne me correspondait pas, il espérait que je découvrirais mes véritables ressources. Souvent, nous n'avons pas conscience du fait que l'emploi laboratoire que nous n'avons apparemment pas choisi a un sens, en réalité. C'est avec du recul que nous découvrons le sens de ces appels secrets de la vie.

Les appels du Soi

Comment pouvons-nous intégrer la théorie du *flow* à celle de l'individuation ? Certes, ces deux notions proviennent de deux sources différentes, mais elles contiennent toutes deux l'idée essentielle que la vie tend vers la complexification[28], tant sur le plan personnel que sur le plan collectif. Autrement dit, quelque chose dans l'être humain le pousse à se dépasser, à s'orienter vers l'accomplissement de son potentiel unique et la satisfaction des besoins de la collectivité. Nous ne pouvons nous contenter de travailler sur notre propre personne pour atteindre le bonheur.

C'est en participant, même à une modeste échelle, à la transformation de la société qui nous entoure en vue d'un monde meilleur que nous parvenons au bonheur.

C'est ainsi que notre question personnelle va à la rencontre des nécessités du collectif. Lorsque les appels du Soi, la question intime qui structure notre individuation, s'allient avec un moi suffisamment solide, notre réponse peut être profitable à la fois pour nous et pour notre environnement. Afin d'illustrer cela, reprenons le graphique précédent et appliquons-le à l'individuation. Sur ce graphique, nous faisons figurer, d'un côté, les appels du Soi au cours de l'individuation et, de l'autre, la force du moi.

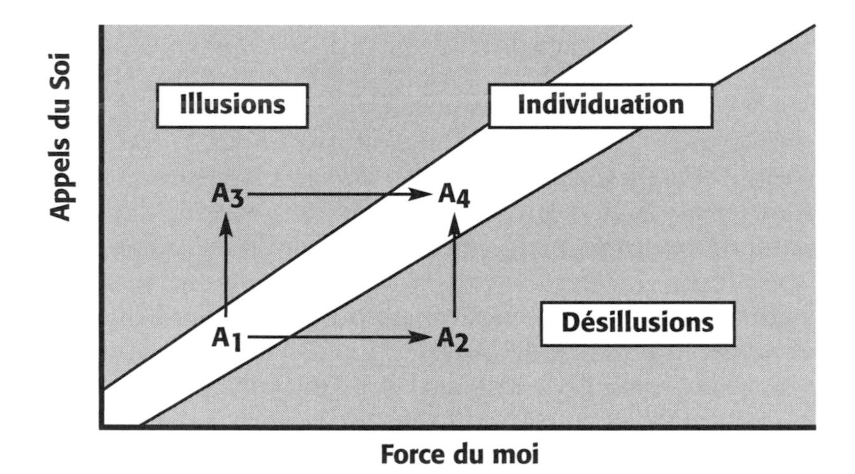

- A_1 : le moi répond aux appels du Soi et se développe en fonction de ceux-ci ; il se situe donc dans le mouvement d'individuation ;

28. J'utilise le terme « complexification » au sens de « nouvelles possibilités », non de « complication ».

- A_2 : le moi n'est plus à l'écoute des appels du Soi ; c'est le cas, par exemple, lorsque nous ne sommes habités que par l'ambition et la réussite personnelle. La conséquence est un sentiment de vide et de désillusion ;
- A_3 : le moi perçoit les appels du Soi, mais ne peut pas prendre position concrètement par rapport à eux. Cela se produit lorsque nous entretenons des illusions sans tenir compte de la réalité ; quand, par exemple, nous rêvons à un emploi et que nous attendons qu'il advienne par miracle ;
- A_4 : le moi et le Soi entament un dialogue créatif, ce qui rétablit le processus de l'individuation. Nous voyons ici que, pour nous maintenir dans la voie de l'individuation, nous devons maintenir un équilibre entre l'illusion et la désillusion, entre le rêve et la réalité. L'individuation se situe dans le mince espace qui existe entre la part d'illusions, nécessaires parce qu'elles expriment les appels du Soi, et les contraintes de la réalité.

Nous serions tentés de croire qu'une très grande force du moi est un signe de santé, mais lorsque le moi devient trop rigide et qu'il se consacre uniquement à servir des ambitions personnelles, la conséquence est un sentiment de désillusion et de vide. Un moi véritablement fort est un moi qui sait faire face aux pertes et aux désillusions inévitables de la vie tout en gardant une relation avec le Soi. Un moi fort est, paradoxalement, un moi qui accepte de se soumettre et de négocier avec le Soi.

C'est bien souvent durant la phase de vide et de désillusion que les appels du Soi se feront un peu plus insistants ; ils prendront la forme de rencontres synchronistiques avec des personnes, des films, des livres, dont l'effet sera de favoriser le cours de l'individuation et de compenser l'attitude trop rigide et dominatrice du moi.

Les rencontres synchronistiques et le travail

Les rencontres synchronistiques se produisent souvent dans la vie professionnelle. Je pense par exemple au musicien et compositeur Benoît Charest, qui a vu sa vie complètement transformée par l'une de ces rencontres. Régulièrement, il se rendait dans un bar de jazz à Montréal pour y jouer de la musique. Pendant de nombreuses années, il y donna un spectacle intimiste, essentiellement motivé par le simple plaisir de jouer. Un soir, le réalisateur du film *Les triplettes de Belleville* assiste par hasard à son spectacle. Impressionné par sa musique, il lui demande de composer la bande sonore de son film. Quelques mois plus tard, Benoît Charest recevra plusieurs prix et une reconnaissance internationale pour sa musique si vibrante. Ainsi, après avoir joué pendant des années devant une centaine de personnes, en bouclant parfois difficilement ses fins de mois, il a vu sa vie transformée par un passage aux Oscar à l'occasion duquel il a joué devant plus d'un milliard de personnes !

Il est toujours intéressant de dresser la liste des personnes qui nous ont permis d'obtenir le poste que nous occupons actuellement, ces personnes qui nous ont fait bifurquer dans notre parcours. Bien souvent, elles ne font plus partie de notre vie, mais leur passage a créé cet avant et cet après qui étaient nécessaires pour que nous passions à une nouvelle étape de notre histoire. Il est aussi intéressant d'examiner les œuvres et les films qui ont correspondu à ces transitions professionnelles.

Sabina fait l'école buissonnière

Sabina, une étudiante en secrétariat, décida un jour de sécher un cours pour aller au cinéma. Lors d'une scène où le personnage principal du film conduit une voiture, elle découvrit qu'elle n'était pas faite pour devenir secrétaire. À ce moment précis, tandis qu'elle regardait la scène, tout devint clair pour elle. Elle était en réalité passionnée par la photographie. Peu de temps après, elle abandonna ses études de secrétariat afin de se réorienter vers la photographie numérique. Le plus amusant, c'est qu'elle ne se souvient même plus de quel film il s'agissait ! Elle se rappelle uniquement cette scène où elle se mettait à la place du personnage : une femme au volant de sa voiture, qui contrôlait bien sa vie et ne se laissait pas mener par les autres.

Un emploi et un mari tombés du ciel...

Nos vies ressemblent bien souvent à des scénarios de films. Agnès, qui travaillait alors comme physiothérapeute à Montréal, reçut un jour un appel téléphonique de l'un de ses amis. Ce dernier lui dit qu'il ne pouvait se rendre à son rendez-vous avec une amie suisse de passage au Québec, et lui demanda si elle pouvait s'y rendre à sa place. Agnès n'avait pas forcément envie de passer une soirée avec une inconnue, mais elle accepta par amitié. Elle ne le regretta pas car cette femme, avec qui elle passa une soirée des plus agréables, lui donna le numéro de téléphone d'une clinique de physiothérapie suisse qu'elle connaissait. Or, quelques jours plus tard, Agnès perdait son emploi. Décidant de tenter le tout pour le tout, elle appela alors en Suisse pour apprendre que, de fait, la clinique avait justement besoin d'un physiothérapeute. Elle partit donc pour la grande aventure en se disant qu'elle passerait là-bas quelques mois et reviendrait ensuite au Québec. Ce qui, bien sûr, ne se produisit pas. Le premier patient dont elle s'occupa était un homme qui s'était blessé en sautant en parachute. Au fur et à mesure qu'elle apprit à le connaître, elle réalisa qu'il correspondait à l'homme qu'elle cherchait depuis toujours. Sans prévenir, l'homme de sa vie lui était tombé du ciel. Quand il eut terminé sa convalescence, elle entama une relation avec lui et il devint le père de ses enfants. Avec une telle histoire, nous ne pouvons faire autrement que de nous demander ce que serait la vie d'Agnès aujourd'hui si elle avait refusé le souper, ce soir-là...

L'envol professionnel

Un autre scénario digne d'un film est l'histoire professionnelle de Patrick, un Suisse. En août 1997, malgré une conjoncture qu'il savait difficile, il décida de quitter le bureau d'architectes qui l'employait pour tenter sa chance comme travailleur autonome. Il voulait profiter d'un mandat d'étude rémunéré qu'il avait reçu de l'État de Vaud. À l'âge de 32 ans, même si le pari était risqué, il sentait que le moment était venu pour lui de tenter sa chance. N'ayant pas d'atelier, il trouva à Lausanne des locaux bon marché qu'il proposa à d'autres jeunes architectes de partager avec lui. Malheureusement, le projet ne fonctionna pas et il se retrouva au chômage. En 1998, toujours au chômage, il traversait une phase critique et passait une année difficile.

À cette période, ses parents et lui-même furent invités aux États-Unis pour le mariage d'un cousin du côté de son père. D'emblée, sa mère refusa d'y aller en invoquant un manque d'affinité avec la belle-famille, si bien que Patrick se retrouva le seul membre de la famille à aller à ce mariage. Il partit donc aux États-Unis une semaine avant la cérémonie et tout se déroula normalement. Bien que ses proches lui demandèrent de rester quelques jours de plus, il rentra le lundi soir par un vol de la Swissair partant de New York. Le vol se déroula sans problème et le mardi matin, il arriva comme prévu à Genève.

Après deux journées à récupérer du décalage horaire, il retourna au bureau d'architectes où il effectuait un stage en informatique de quelques semaines dans le cadre d'un programme d'aide aux chômeurs. À son arrivée, l'un des deux patrons lui demanda s'il était effectivement rentré de New York et s'il avait bien voyagé sur Swissair. Intrigué, il voulut savoir pourquoi ce dernier lui posait toutes ces questions. Le directeur lui répondit alors qu'il avait appris le matin même à la radio qu'un vol de Swissair en provenance de New York s'était écrasé la nuit même à Halifax. Tous les occupants de l'avion étaient décédés. Patrick resta stupéfait, songeant qu'il avait pris le même avion deux jours plus tôt. Ce n'était pas tout. Il apprit ensuite par la presse que le pilote de l'avion s'appelait Urs Zimmermann, et portait donc le même nom de famille que lui ; ensuite, que le copilote s'appelait Stéphane Loew, le même nom que celui d'un proche ami avec qui il avait étudié. Coïncidence encore plus étrange, il découvrit le matin même de l'accident, le jeudi, à la page des avis mortuaires de son quotidien local, l'annonce du décès d'un Patrick Zimmermann, en l'occurrence un homonyme lausannois.

Il resta abasourdi par cette extraordinaire concordance d'événements, et par le sentiment de l'omniprésence de la mort autour de lui. Arrivant au terme de son stage en informatique, il fut mis en contact par un ami avec un bureau d'architectes de Neuchâtel. Ce bureau avait perdu un de ses proches collaborateurs, décédé accidentellement. Pressés par le temps, ayant dû se remettre de cet événement dramatique, les architectes cherchaient quelqu'un pour remplacer le disparu. Patrick découvrit par la suite que celui-ci, qui s'était tué dans un accident de rallye, avait été un de ses amis d'université... En dépit du contexte morbide, il accepta de prendre la place qu'on lui proposait, en l'occurrence celle du mort, mais il sentait qu'il s'éloignait à nouveau de son projet initial. Au bout de quelques semaines, comme on lui proposait de l'engager définitivement, il décida plutôt de démissionner et de tenter de redémarrer l'atelier qu'il avait créé un an et demi plus tôt à Lausanne. Contre toute attente, la nouvelle équipe qu'il venait de mettre sur pied réorganisa l'ancienne structure de fonctionnement et put officiellement créer une société, qui n'a cessé de se développer depuis lors. Ainsi, depuis l'avènement de coïncidences extraordinaires qui avaient toutes un lien singulier avec la famille et la mort, sa carrière professionnelle reprenait son envol.

La perte de sens au travail : le mythe de Sisyphe

Le sens que revêt le travail est certes très important, mais il est parfois difficile de maintenir un niveau de sens optimal. Vouloir donner du sens à tout prix peut trahir une difficulté à accepter la réalité. En fait, avant toute chose, le travail nous met en rapport avec la réalité et nous met au défi d'accepter les aspects que nous ne pouvons changer. Nous devrons toujours travailler afin de transformer nos besoins en biens pour nous-mêmes autant que pour la collectivité. À ce sujet, l'interprétation qu'Albert Camus a proposée du mythe de Sisyphe est très intéressante.

Sisyphe est condamné à pousser une pierre sur une colline, pierre qui retombe chaque fois qu'il atteint le sommet. Certes, à première vue, ce châtiment peut paraître complètement absurde, mais il peut se comparer à ce que nous vivons lorsque nous sommes prisonniers d'un travail qui a perdu son sens. James Hollis attire notre attention sur un point: dans la version de Camus, alors que la pierre redescend la colline, Sisyphe fait une pause et esquisse un sourire[29]. Il ne s'agit pas de résignation, poursuit Hollis, plutôt de transcendance ajouterais-je. C'est comme si, pendant un instant, Sisyphe prenait le dessus sur son châtiment et effectuait un choix en l'acceptant. Il dit oui à son destin, qu'il ne peut entièrement maîtriser et, de ce fait change d'attitude devant le *fatum*. «Le destin traîne celui qui le rejette, et pousse celui qui l'accepte», dit le proverbe. Je ne crois pas que ce soit le travail qui nous rende heureux. Nous nous rendons heureux dans le travail par la façon dont nous l'habitons, par l'espace de jeu et de créativité que nous parvenons à libérer au sein de notre activité vis-à-vis de la contrainte universelle qu'il représente. Le travail est comme une pièce vide que nous décidons d'habiter en partie ou complètement. Si je ne peux pas vivre de ce que j'aime, puis-je m'engager à faire preuve de créativité et à tenter d'aimer ce qui me fait vivre?

L'épuisement professionnel ou la mission impossible

La perte de sens peut parfois être attribuable au fait que nous faisons fausse route par rapport à l'individuation. Il se peut que nous empruntions inconsciemment la trace de nos parents, par exemple. Jung l'a très justement remarqué et indiqué lorsqu'il a dit qu'au cours de sa vie il avait dû répondre à des questions qui avaient été posées à ses ancêtres, mais que ces derniers avaient laissées en suspens. Une bonne partie de l'individuation, principalement à l'adolescence, consiste en effet à «démêler» les questions laissées inachevées par nos parents des nôtres. Il peut en effet être difficile de reconnaître nos désirs authentiques lorsque nous endossons mécaniquement et à notre insu les rôles que nos parents nous ont assignés, voire les missions dont ils nous ont chargés.

29. James HOLLIS, *Creating a Life: Finding your Individual Path*, Toronto, Inner City Books, 2001, p. 66.

Comme le mentionnait Claire, une infirmière de 42 ans qui a souffert d'épuisement professionnel et qui aurait très bien pu finir sa vie comme le jeune Neil de *La société des poètes disparus*: «Très tôt, ma mère m'a confié une mission sans me le dire ouvertement. Je sentais qu'elle avait toujours rêvé d'être infirmière, mais elle n'avait pas eu accès aux études ni au monde du travail, car elle devait rester à la maison pour soigner sa propre mère[30].» Combien de jeunes ont ainsi gommé une partie de leur enfance et de leur adolescence pour ne pas remettre «en question» leurs parents? Claire poursuit: «Je n'ai pas appris à me fier à mes sentiments pour m'orienter; j'ai endossé mécaniquement le projet de ma mère. J'ai revêtu le costume d'infirmière avec le sentiment que je ne devais pas la décevoir. Au travail, je reproduisais cette soumission, je fonctionnais parfaitement et sans relâche. En réalité, quelque chose s'éteignait en moi. Je me rendais à mon travail machinalement. Progressivement, j'ai senti monter en moi une intense colère sans en connaître la raison. Je faisais fi des images agressives qui m'envahissaient. Je ne voulais pas que cette colère fasse partie de mon histoire.»

Claire s'est ainsi éloignée de la voie de l'individuation en restant prisonnière de demandes qui ne lui correspondaient pas. Elle était naturellement portée vers l'humour et la danse. Elle admirait les humoristes et aurait voulu en faire sa profession, mais elle ne s'est pas donné la permission d'explorer cette vocation. Elle a hérité de la mission que sa mère lui avait confiée à son insu et celle-ci s'est superposée à son désir. Comme Claire n'avait pas appris à se fier à son intuition, elle ne sut pas percevoir les signes lui indiquant que sa bonne humeur au travail était en train de disparaître. Telle la grenouille dans un seau d'eau, elle se laissait mourir dans une atmosphère qui se réchauffait progressivement. Les exigences du secteur de la santé sont en effet venues ajouter à son traumatisme initial. En

30. J'ai eu l'occasion d'observer à maintes reprises ce phénomène: une mère qui n'a pas eu accès au monde du travail jette son dévolu sur sa fille, qui devra réaliser ce qu'elle-même désirait faire.

lui demandant de s'acquitter d'une mission quasi surhumaine, son employeur prenait la relève de sa mère. Progressivement, Claire prit conscience qu'elle avait été envahie par le désir de sa mère qui l'avait empêchée de se poser la question toute simple de son propre désir: que souhaitait-elle faire? La transmission d'une mission, qui se révèle presque toujours impossible à réaliser, vient en effet souvent avec le cadenas de la culpabilité: nous nous sentons coupables de ressentir la moindre colère devant un projet que nous n'avons pourtant pas choisi, et nous expions cette culpabilité en «sacrifiant» notre vie pour aider les autres.

Claire n'a jamais vécu de crise d'adolescence. C'est l'épuisement professionnel qu'elle a connu au tournant de la quarantaine qui lui a permis de faire les changements nécessaires afin de retrouver une meilleure qualité de vie. Elle a reconnu l'impossibilité où elle était de remplir la mission que sa mère lui avait assignée, la légitimité de sa colère, et la nécessité où elle se trouvait de s'approprier sa vie et son travail. L'épuisement professionnel a permis à Claire de s'avouer à elle-même son impuissance et d'accueillir ses limites. C'est en faisant face à celles-ci et en les acceptant qu'on peut créer une vraie intimité avec soi. Claire a décidé de continuer à exercer sa profession d'infirmière, mais elle a fait le choix d'habiter davantage son rôle, de l'investir tout en posant ses limites. Elle est maintenant «infirmière-humoriste»! Elle prend plaisir à détendre l'atmosphère de son milieu de travail en apportant sa touche personnelle: des blagues uniques dont ses collègues profitent autant que les patients. Elle a ainsi consciemment choisi de répondre partiellement à la question de sa mère, mais en préservant son originalité.

Perdre sa curiosité au sujet de ce qui se passe en soi est probablement le plus grand blocage que peut connaître le processus d'individuation. Privé de la possibilité de s'interroger sur ce qui le fait vivre, l'être s'engourdit dans une existence virtuelle. *L'interdit de curiosité,* bien qu'il passe généralement inaperçu, est à mes yeux le pire traumatisme que l'on puisse infliger, sans compter qu'il va presque toujours de pair avec la culpabilité.

Pour passer d'une « trans-mission » héritée à notre propre mission, nous devons nous donner la « per-mission » d'être d'abord un sujet, un sujet curieux de ce qui lui arrive, mais surtout un sujet qui se donne la liberté de jouer avec la vie.

Le travail et la persona

J'aime bien l'expression selon laquelle les comédiens sont des adultes qui ont continué à jouer, soit les seuls qui, en mentant, ne mentent pas. Le véritable comédien arrive à créer un espace entre son identité et son masque. Cet espace est nécessaire à tout un chacun afin de ne pas être prisonnier de sa persona, dont l'acquisition constitue une étape essentielle de l'individuation. Qu'est-ce que la *persona*? La persona est un concept élaboré par Jung pour décrire ce que nous ne sommes pas réellement, mais que les autres croient que nous sommes.

Dans la tradition théâtrale grecque, la persona désignait le masque qui faisait résonner la voix des comédiens afin qu'elle porte mieux; mais elle peut aussi agir comme un masque qui assourdit les appels venant du Soi. La question essentielle que pose la persona au cours de l'individuation pourrait se formuler ainsi: comment jouer avec notre masque au lieu qu'il se joue de nous?

Un titre social s'apparente à un vêtement qui sort du tiroir de l'inconscient et qui y retournera tôt ou tard. Il n'est pas le but de l'individuation. Notre rôle social est un instrument qui nous permet de progresser dans la quête d'une réponse personnelle aux demandes du monde. Un travail, c'est une façon de jouer avec les thèmes de notre vie. Changer de travail, c'est jouer notre mélodie avec d'autres instruments.

Mais qu'arrive-t-il lorsque le travail se joue de nous? lorsque notre rôle social prend le dessus? Jung l'avait pressenti: nous avons tendance à nous identifier à ce que nous faisons. Nous nous définissons principalement par ce qui nous est extérieur, ce qui nous vaut de nombreuses difficultés sur le plan identitaire. Par exemple, lorsqu'on nous pose la simple question: qui êtes-vous?, nous répondons mécaniquement par ce que nous faisons: je suis avocat, mécanicien, professeur, médecin, etc. Nous transformons automatiquement la question de l'être par une réponse concernant le faire.

Certes, nous avons besoin de repères identificatoires pour nous développer, mais notre rôle social reste un outil, un moyen, qui nous permet de nous définir, non le but en soi. Nous pouvons être tentés de nous définir uniquement par le travail, et ainsi perdre l'espace de jeu qui se trouve entre nous et la persona. Un bel exemple de possession par la persona est le personnage principal du film *Zelig* de Woody Allen. Dans ce film, ce personnage, qui se fait notamment appeler l'homme-caméléon, se transforme au contact des gens qu'il côtoie. Il s'agit en fait d'une suradaptation aux autres qui l'empêche d'avoir une identité propre. La confusion entre le moyen et le but abordée dans le précédent chapitre s'applique ainsi au masque social. La rigidité du masque bloque l'individuation et lorsque la persona prend possession du moi, le risque est grand de tomber dans la mythomanie.

La mythomanie: un rêve pris en flagrant délit

Un autre exemple de manque d'espace entre le moi et la persona est fourni par un film tiré d'une histoire véridique. Dans *L'adversaire*, un homme fait croire à tous ses proches, pendant plus de 18 ans, qu'il est médecin. Lorsqu'il se trouve sur le point d'être démasqué, il assassine froidement ses parents, sa femme et ses enfants. Ce film montre bien comment un surinvestissement de la persona entraîne un déchaînement de l'ombre. Le personnage tue tout son entourage sauf sa maîtresse, son amour pour elle étant la seule chose qui lui paraît sincère.

Cette histoire est une poignante illustration de l'adage disant qu'un mensonge est un rêve pris en flagrant délit. En réalité, Romand, le personnage central du film, désirait être aimé, mais il ne savait pas comment s'y prendre. Il s'est fait prendre au jeu du mensonge, car la principale personne à qui il mentait lorsqu'il se retrouvait seul et passait des journées entières à se cacher sur le bord des autoroutes de Genève, c'était lui-même. Il incarnait la vérité fondamentale qu'exprima D. W. Winnicott[31], à savoir que se cacher est un plaisir, mais ne jamais être trouvé est une catastrophe…

La grande séduction

La persona peut aussi être collective. Les professions, par exemple, disposent toutes d'une persona susceptible d'influencer nos comportements jusqu'à un certain point. Il existe une persona pour les avocats, les médecins, les écrivains, les chanteurs, etc. Le risque est toujours présent de se prendre pour ce que l'on n'est pas. Cela n'est pas facile à vivre pour les artistes, qui sont soumis aux projections intensives du public. *Je dis souvent que la pire chose qui puisse arriver à quelqu'un est d'être connu lorsqu'il ne se connaît pas.* Nous assistons quotidiennement à la chute d'idoles qui éprouvent de la difficulté à savoir qui elles sont vraiment et qui sombrent dans la drogue, par exemple.

Les peuples cherchent aussi leur identité véritable. Le film québécois *La grande séduction* illustre comment un village retiré se transforme complètement et arbore un faux visage afin d'attirer un médecin sur l'île où il est situé. Le film comporte des scènes loufoques, notamment lorsque les habitants du village apprennent à jouer au cricket, un jeu qu'ils n'aiment pas et qu'ils ne connaissent pas, toujours en vue d'attirer le médecin, fervent amateur de ce sport. L'énergie mobilisée pour maintenir le mensonge collectif est une belle illustration des sacrifices et des renoncements que nous devons nous infliger lorsque nous sommes prisonniers de la persona. Nous avons tous, à un moment ou à un autre, fait semblant d'aimer jouer à quelque chose, mais généralement, la vie se charge de nous sortir de ce mensonge. C'est ce qu'apprendront les habitants de ce village et qui les conduira à renoncer à leur mascarade.

Dans le film, le motif réel du mensonge vient du désir de travailler honnêtement. Depuis plusieurs années en effet, la pêche, qui était autrefois la principale source de revenus

31. Donald Wood Winnicott, *Jeu et réalité*, Paris, Gallimard, 1975.

des habitants, ne rapporte plus autant. Comme le dit si justement Félix Leclerc: «[L]a meilleure façon de tuer un homme est de le payer à ne rien faire.» C'est ce qui est arrivé aux habitants de ce petit village maritime du Québec: ils n'en peuvent plus d'aller chercher honteusement leurs prestations d'aide sociale.

Ce film, qui suscite beaucoup d'engouement tant au Québec qu'à l'étranger, est une belle leçon en regard de l'identité et du sens véritable du travail. Le médecin, un spécialiste en chirurgie plastique qui cherche à combler le vide de sa vie par l'argent et la drogue parce qu'il a perdu le vrai sens des choses, redécouvrira ce sens dans son travail au village. Les sympathiques habitants de Sainte-Marie-la-Mauderne lui enseigneront en effet que le travail tire parfois son sens de la simple dignité qu'il y a à transformer honnêtement ne serait-ce qu'une partie infime du monde. Cet homme qui était justement un spécialiste en chirurgie plastique – une façon comme une autre de mettre des masques sur les gens – a sans doute appris à prendre de la distance vis-à-vis de son propre masque, et les patients qu'il soignera dorénavant ne seront pas des stars, mais d'honnêtes pêcheurs devenus employés d'une usine de récipients en plastique.

Le travail et l'argent

L'argent est bien sûr le séducteur, l'appât par excellence du travail. Pour l'argent, nous sommes bien souvent prêts à sacrifier notre individuation. Mais quelle est la signification essentielle de l'argent? Nous avons vu que le travail est avant tout une activité de transformation du monde. L'argent, soit le fruit du travail, est un symbole de cette transformation: il représente le résultat, la mesure de notre capacité à transformer quelque chose, et la possibilité, par ce moyen, d'acquérir autre chose; autrement dit, une forme de circulation entre soi et le monde. Un billet de vingt dollars peut ainsi se transformer en un livre ou en un repas au restaurant. En tant que symbole de transformation, l'argent est aussi un symbole excrémentiel, comme Freud l'avait bien pressenti. Pour cette raison, nous pouvons souffrir de «constipation financière» lorsque nous n'arrivons pas à faire circuler notre énergie de transformation. Dans ce cas, c'est que nous bloquons le flot naturel de transformation. Quand j'apprends que 41 % de la richesse mondiale est détenue par environ 200 personnes, je ne peux m'empêcher de penser que je vis dans une société profondément constipée...

N'y a-t-il pas lieu de s'interroger sur le sens de l'argent, soit sur son aspect qualitatif? L'argent, comme tout archétype, obéit à une double polarité. Dans nos sociétés, il a perdu son sens qualitatif pour revêtir un intérêt uniquement quantitatif: au lieu d'être un symbole de transformation, il est devenu du capital à accumuler. Notre rapport à l'argent se situe sous le signe du «en avoir plus» ou du «en avoir moins», ce qui conduit bien souvent à l'effritement des valeurs et au sentiment d'insuffisance. Lorsque l'argent est considéré uniquement dans sa dimension quantitative, comme c'est le cas dans notre monde, nous assistons à des abus et à des manifestations produits par son ombre. Le scandale financier de la firme Enron n'est qu'un exemple de cette ombre qui pousse les individus à contourner la loi pour accumuler. La chute des tours jumelles du World Trade Center est peut-être une invitation à nous tourner vers le sens de l'argent et à nous interroger sur la conséquence de cette accumulation sur les autres peuples. Je suis en effet convaincu que personne d'entre nous ne veut passer sa vie à amasser de l'argent pour devenir le plus riche du cimetière...

Midas: le souhait imprudent

L'argent est le symbole de notre capacité à transformer le monde, mais est-ce que nous savons comment utiliser ce pouvoir? Le thème du souhait imprudent associé à une mauvaise utilisation de l'argent est très bien illustré par le mythe de Midas. Ovide raconte qu'un jour des paysans phrygiens trouvèrent un vieillard obèse et couronné de roses, affublé d'une queue de cheval et ivre mort. Ils le conduisirent à Midas, leur souverain, qui reconnut dans le vieillard Silène, le compagnon et le précepteur de Dionysos. En son honneur, Midas organisa une joyeuse bacchanale, puis le roi amena son hôte auprès de Dionysos. Heureux de retrouver son ami, le dieu invita Midas à formuler un vœu. Midas lui dit alors: «Fais que tout ce que je toucherai se transforme en or.» Dionysos accéda au désir du roi.

Impatient, Midas voulut éprouver son pouvoir et arracha une branche à un chêne: aussitôt, elle se mua en or. Il prit une pierre: elle se transforma en pépite. Il en fut de même d'une motte de terre, d'un épi, d'une pomme, de la porte du palais, et même de l'eau quand Midas voulut se laver les mains. L'infortuné éprouva une désagréable surprise lorsqu'il se mit à table: le pain, la viande se changèrent en or. Angoissé, Midas supplia Dionysos de lui pardonner et de le délivrer. Le dieu l'entendit et lui ordonna d'aller se laver dans la source de la rivière Pactole. Midas fut ainsi débarrassé de son funeste privilège.

Planter son arbre dans le vaste jardin collectif

Il y a plusieurs façons de transformer le monde. Hélène, codirectrice d'une firme de consultants, a toujours rêvé d'aider les enfants du tiers-monde et de lutter ainsi contre la pauvreté. Au début, elle a pensé se rendre dans ces pays afin de mettre en place des mesures locales. Elle a plutôt transformé son rêve de jeunesse en travaillant avec les grandes entreprises situées dans les sociétés occidentales. Son point de vue est intéressant: pour Hélène, la pauvreté réelle existe autant, sinon davantage, dans nos sociétés capitalistes que dans le tiers-monde; c'est pourquoi elle offre ses services de consultation aux présidents de grandes entreprises: elle souhaite les sensibiliser à leur richesse personnelle et tenter ainsi de transformer les valeurs véhiculées dans le monde des affaires.

Même anonyme, notre contribution à la grande histoire du monde est nécessaire. Je pense ici à Elzéar Bouffier, le personnage de Jean Giono mis en scène de façon remarquable par Frederick Back dans son film d'animation *L'homme qui plantait des arbres,* lequel a été couronné par un Oscar en 1987. Elzéar Bouffier a voué sa vie à planter anonymement des arbres sur des hauteurs où plus rien ne poussait depuis des décennies – tout simplement. Grâce à son œuvre, les nouveaux arbres ayant poussé, l'eau s'est remise à couler dans les sources taries et les animaux ainsi que les humains sont revenus peupler la région. Quant à Elzéar Bouffier, il continua son œuvre anonyme.

J'ai ainsi l'intime conviction que chaque parcours de vie est une œuvre en devenir et que le quotidien n'est pas l'ennemi de la créativité, mais un temps ouvert à de nouvelles réponses face aux défis que nous adresse le monde. Incarner notre mythe personnel dans le travail est notre humble façon de transformer le monde et d'embellir par notre unicité et notre créativité ce vaste jardin collectif. Un jardin où chacun a sa place, mais un jardin menacé par la constipation financière, par l'abandon de nos rêves et notre manque d'imagination. Car, comme l'écrivait Félix Leclerc, lorsque nous arrachons un arbre de la terre, cela fait toujours deux trous, et celui qui se trouve dans le ciel sera toujours le plus grand…

CHAPITRE 4

Le mythe de l'Autre

Deux réalités s'imposent nécessairement en nous :
nature et civilisation. Nous ne pouvons être,
uniquement, nous-mêmes. Il nous faut,
également, entrer en rapport avec autre chose.

CARL G. JUNG

Se cacher est un plaisir, mais ne jamais
être trouvé est une catastrophe.

DONALD W. WINNICOTT

Alors que nous étions sur le chemin du retour après une journée en plein air au nord de Montréal, ma compagne et moi avons décidé d'aller voir un film afin de terminer agréablement ce superbe après-midi de printemps. Nous nous sommes arrêtés dans la petite ville de Saint-Eustache pour entrer dans le premier cinéma que nous avons trouvé, et nous nous sommes glissés discrètement dans la salle où venait de débuter un film choisi au hasard. C'est bien souvent de cette façon que nous vivons nos plus belles histoires d'amour avec les films. Nous n'avions aucune idée du scénario du film *Un homme d'exception,* et c'est probablement dans cet état d'esprit qu'il est souhaitable de le voir. Après la projection, j'étais sous le choc et l'échange d'idées avec ma partenaire était fort animé.

Un homme d'exception

Bien que le film soit inspiré d'un fait réel, je m'intéresserai plutôt ici à la dimension cinématographique du récit, soit à la façon dont l'histoire a été mise en images par Ron Howard ; la mise en scène offre en effet des éléments intéressants en regard du rôle d'autrui dans le processus d'individuation. Ce film retrace la vie du scientifique John Nash sous trois angles : sa lutte contre la schizophrénie, sa relation amoureuse avec sa femme, Alicia, et le développement qu'il a fait de la théorie des jeux qui lui a valu le prix Nobel d'économie en 1992. La rencontre entre Nash et Alicia est symbolique à plus d'un titre. Nash, qui est perçu par son entourage comme étant un homme taciturne et solitaire, est contraint de donner un cours dans une salle de classe suffocante. La chaleur a beau être intenable à l'intérieur, il décide de fermer les fenêtres malgré tout pour diminuer le bruit des marteaux-pilons utilisés par des employés de la construction à l'extérieur. Et il ne le fait pas de façon banale, il le fait en disant à ses étudiants que « leur confort ne doit pas l'empêcher d'entendre sa propre voix ». Cette phrase résume l'essentiel de la problématique de Nash, qui tourne autour de ce difficile rapport à l'autre et du défi que représente pour lui de faire le lien entre la réalité extérieure et son monde intérieur.

Bien qu'il paraisse impossible de concilier la fraîcheur de la salle et davantage de calme, Alicia, une étudiante du cours, a une idée et propose une solution : elle ouvrira la fenêtre et entamera une négociation avec les ouvriers afin de les inviter à faire une pause le temps de terminer le cours. Voilà présentée l'une des contributions majeures d'Alicia dans la vie de Nash : l'ouvrir au monde réel et lui proposer une façon de négocier avec les voix envahissantes de la schizophrénie représentées ici par les marteaux-pilons.

Alicia lui montre qu'un problème peut avoir plusieurs solutions, ce qu'elle fera à nouveau ultérieurement en soutenant Nash dans sa lutte contre la maladie, comme le montre le film.

La fenêtre est un symbole important de la mise en scène de Ron Howard. Outre le fait qu'elle symbolise la rencontre de Nash avec Alicia, c'est sur la vitre d'une fenêtre que Nash écrit ses formules mathématiques qui sont en quelque sorte le filtre avec lequel il aborde le monde extérieur. Mais la fenêtre fermée peut aussi symboliser sa coupure d'avec le monde réel. Or la schizophrénie est une maladie mentale qui se traduit essentiellement par une perte de contact avec la réalité extérieure et par la présence de voix qui assaillent le sujet. Dans nos sociétés, nous avons tendance à considérer cette maladie comme le cancer des maladies mentales ; de fait, nous en savons peu sur ses causes et sur les façons de la guérir. Tout au plus de nouveaux médicaments permettent maintenant de contrôler les symptômes.

Ce film remarquable nous invite à poser un regard autre sur cette maladie et, de façon générale, sur la différence. Que l'on pense à un poète comme Nelligan ; son talent remarquable ne l'a pas empêché de finir ses jours dans un institut psychiatrique en raison du même mal. Nous sommes souvent embarrassés par la vision des gens atteints par cette maladie. Or, dans certaines sociétés, une personne comme Nash ou Nelligan aurait été considérée comme un chaman, c'est-à-dire comme un guérisseur ou un sorcier qui vient en aide au groupe grâce à un don original qu'il a cultivé. Dans ces sociétés, le chaman est en effet un être qui, très tôt au cours de son développement, apparaît comme un individu différent des autres ; cela ne l'empêche pas d'être intégré au groupe.

La personne atteinte de schizophrénie est un être qui entend sa *voie* de façon brutale, pourrait-on dire. Certes, il s'agit d'une maladie, mais la personne atteinte a besoin du soutien des autres pour vivre avec elle et ne pas sombrer dans la perte de contact totale avec la réalité. Nash possède le don unique de saisir des motifs et de les transformer en formules mathématiques, mais il perçoit ces motifs de façon rigide. Il se coupe du monde et utilise son don afin d'accomplir une prétendue mission secrète pour le compte du gouvernement. Il est alors victime des projections de son inconscient. Au début du film, cela se traduit par le fait qu'il est incapable de jouer dans la réalité avec ses proches, car il les perçoit comme menaçants du fait de ses fantasmes paranoïaques. On le constate lorsqu'on le voit, par exemple, perdre au jeu de go : il est dévasté et il se retire du jeu. Ultérieurement, il voudra à tout prix exister en trouvant une idée originale propre à révolutionner le monde. Il sera alors profondément angoissé, comme s'il s'agissait d'une question de vie ou de mort et qu'il ne se donnait pas la liberté de perdre. La rigidité avec laquelle il aborde le monde est aussi une autre caractéristique de sa maladie. Il trouvera finalement son idée en approfondissant la théorie des jeux qui énonce que si nous voulons véritablement être gagnants, nous devons jouer à la fois pour nous et pour les autres. Cette théorie, bien que très complexe, se résume par une idée toute simple : dans un univers où le nombre de participants est important, je gagne lorsque je permets aussi à l'autre de gagner, car, si je ne vise qu'à éliminer l'autre, avec qui pourrai-je jouer par la suite ?

Une théorie est toujours révélatrice des questions essentielles qui habitent son auteur, elle révèle en quelque sorte les grands thèmes de son mythe personnel et indique des voies de solutions possibles à son conflit psychique. La théorie de Nash symbolise son effort pour percevoir l'autre comme un allié et non comme un ennemi qui le « menace d'entendre sa voix », ainsi qu'il le dit aux étudiants. La question essentielle de Nash en regard de ses difficultés relationnelles trouvera une solution originale dans cette théorie qui propose d'avoir des gestes se rapportant à la fois à soi et au groupe ; de jouer non pas uniquement dans le but d'obtenir des gains personnels, mais aussi des gains collectifs.

Que peut signifier cette théorie sur le plan psychologique et comment peut-elle enrichir notre compréhension de l'individuation ? La théorie des jeux désigne la nécessité qu'il y a à coopérer dans un groupe ; en ce sens, elle s'apparente au parcours du héros qui a besoin de coéquipiers pour développer son don et avancer dans sa quête. Le jeu du Tao Master inspiré par la sagesse chinoise nous offre une concrétisation intéressante de cette idée. Ce jeu est une façon de mettre en œuvre le principe de la coopération. Il s'agit essentiellement de jouer pour favoriser la réussite de la quête d'un des participants ; les joueurs sont gagnants lorsque le joueur principal a terminé sa quête. La théorie des jeux démontre qu'il peut être profitable de laisser une chance aux êtres différents d'enrichir la collectivité grâce à leur originalité. La scène finale pendant laquelle les collègues de Nash lui apportent chacun un crayon en signe de reconnaissance est d'ailleurs fort touchante.

Ce film nous rappelle que la réalité ne nous est accessible que par le rapport à l'autre. Cette idée est fort bien illustrée par la scène dans laquelle la main d'Alicia, posée sur le cœur de Nash, calme celui-ci et l'aide à discerner le réel de l'imaginaire pendant une crise particulièrement pénible. Alicia apparaît ainsi comme le garde-fou de Nash qui le préserve de sa folie, tel Sancho Pança pour don Quichotte. En prenant du recul par rapport à ses visions envahissantes, si l'on admet qu'elles résultent de ses projections sur le monde, Nash pourra les transformer et jouer avec son inconscient au lieu que ce dernier se joue de lui. Le monde reste, certes, toujours déformé par ses projections, mais avec le soutien et l'amour de ses proches, Nash peut dorénavant le déformer amoureusement…

Jouer « avec »

Lorsque nous étions plus jeunes, il était relativement simple pour la plupart d'entre nous de demander à un ami de jouer avec nous. Cette question, tout en demeurant essentiellement la même, se complexifie avec le temps. Les blessures relationnelles engendrant parfois des peurs, nous grandissons souvent avec de profondes angoisses au sujet de nos relations interpersonnelles. Dans certains cas, lorsque nous y sommes prédisposés, ces blessures conduisent à des troubles affectifs, comme ceux dont souffre Nash. Malgré toutes les formes de difficultés que nous pouvons éprouver dans nos relations, la question essentielle du lien à l'autre demeure fondamentalement la même : comment allons-nous nous organiser pour faire quelque chose ensemble ? Que ce soit pour jouer au ballon, travailler de concert, partir en voyage, vivre une relation de couple au quotidien, la question reste la même. De l'ami qui partagera notre soirée, à la femme qui partagera notre vie, en passant par le collègue de travail que nous côtoyons chaque jour, le rapport à l'autre nous renvoie toujours à cette question toute simple: savons-nous comment jouer dans la même équipe? Ou bien sommes-nous plutôt portés à être en compétition à tout prix, quitte à compter des buts dans notre propre filet, comme nous le faisons trop souvent en couple?

Bien sûr, nous sommes élevés dans un monde où la compétition domine et peut être stimulante. Mais en ces temps où la différence fait peur et où la mondialisation menace d'aplanir les identités, n'y a-t-il pas lieu d'imaginer de nouvelles façons d'accepter la différence au lieu de tenter de la niveler? Ne serait-il pas préférable de se laisser enrichir par la différence de l'autre au lieu de chercher à l'éliminer par une compétition perpétuelle faisant que seul le fait de gagner individuellement compte?

Des pairs pour apprendre à perdre

Vous rappelez-vous comme nous trouvions difficile de perdre lors de nos jeux d'enfants? Les recherches montrent que, lorsque nous grandissons en étant particulièrement marqués par cette difficulté, cela peut résulter d'un problème d'estime de soi et affecter considérablement nos relations avec nos pairs. En effet, l'enfant qui n'a pas appris à perdre ne fait pas la différence entre le jeu et son personnage, et il risque de développer des problèmes d'adaptation au monde réel. Pour cet enfant, connaître un échec revient en réalité à éprouver le désagréable sentiment qu'il *est* lui-même un échec. Cette attitude le conduira progressivement à voir le monde extérieur comme menaçant, et à percevoir les autres non comme des collègues avec qui il pourrait collaborer, mais comme des concurrents qu'il doit dépasser.

Nos pairs nous offrent des occasions de nous désillusionner, ils facilitent ainsi notre acceptation du réel. Apprendre à perdre est un fondement de l'estime de soi et un élément essentiel à l'harmonie dans nos relations interpersonnelles. Dans ce sens, avoir eu des frères et des sœurs a pu être un facteur favorisant la construction de l'identité s'il a bien été dosé. Bien sûr, si nous avons été écrasés par un frère ou une sœur, nous passerons une bonne partie de notre vie à composer avec ce complexe d'infériorité. Toutefois, lorsque nous savons faire face à nos pairs en ménageant un juste équilibre entre les gains et les pertes, nous apprenons nos limites et, ce faisant, nous apprenons à libérer l'espace de jeu nécessaire qui permet de perdre sans *se* perdre. Les personnes qui facilitent le plus notre désillusion et ainsi notre adaptation au monde réel, ce sont nos proches, notamment nos frères et sœurs, souligne Michel Lemay[32]. Nos frères et sœurs nous font vivre nos premières expériences de rivalité et nous devons négocier avec eux pour mieux nous connaître et nous socialiser. Vivre au sein de familles qui sont de moins en moins nombreuses, comme c'est souvent le cas aujourd'hui, peut compliquer la confrontation nécessaire à la réalité de l'autre, ajoute le psychiatre.

Sans les désillusions nécessaires que nous fait vivre la relation avec l'autre, nous gardons des illusions sur nous-mêmes ainsi que des idéaux qui nous prédisposent à nous heurter à nos limites de façon particulièrement pénible ultérieurement, que ce soit au travail ou dans nos relations personnelles, et à connaître des conflits relationnels importants. Les conflits que nous vivons avec nos pairs dans le monde du travail sont en effet, en quelque sorte, le prolongement inconscient des dynamiques relationnelles que nous avons connues avec nos frères et sœurs ; et les conflits avec nos supérieurs, une projection des conflits que nous avons eus avec nos parents.

Une identité diffuse et une faible estime de soi seraient ainsi des bombes à retardement dans nos relations interpersonnelles. Comme le soutient Guy Corneau[33], les territoires non définis contribuent à nourrir les conflits, tant sur

32. Michel LEMAY, *Famille, qu'apportes-tu à l'enfant?*, Montréal, Éditions de l'Hôpital Sainte-Justine, 2001.
33. GUY CORNEAU, *L'amour en guerre*, Montréal, Les Éditions de l'Homme, 1996.

le plan personnel que sur le plan collectif. Moins l'identité est définie, plus le sentiment de menace est important, et donc le risque de conflit. L'identité se construit par la confrontation avec sa propre réalité au fil du lent processus de réappropriation des projections effectuées sur le monde.

La projection

Il est intéressant de remarquer que la psychanalyse a vu le jour à la même époque que le cinéma, soit au début du XXe siècle. Curieusement, ces deux domaines ont à faire avec la projection. La *projection* consiste essentiellement à faire porter un contenu de notre inconscient sur l'écran que représente l'autre. Les autres s'apparentent ainsi à de véritables toiles de cinéma pour l'inconscient de chacun, la conséquence étant que le mécanisme de projection est à la base de la plupart des malentendus relationnels. Les projections les plus importantes concernent l'animus, l'anima et l'ombre ; j'y reviendrai. Nous pouvons aussi, bien sûr, faire ces projections, qui s'apparentent à des facettes de nous-mêmes, sur les héros et les héroïnes que nous voyons au cinéma. C'est pourquoi examiner attentivement les personnages qui nous marquent dans une histoire nous donne accès à des facettes de notre inconscient.

Cela dit, bien que la projection soit un mécanisme d'adaptation efficace, elle peut aussi faire de nous une victime du monde. Pensons à cette femme déclarant que son conjoint décide tout pour elle, au lieu de se demander ce dont elle a réellement besoin. La question essentielle à se poser en regard de la projection pourrait être : qu'est-ce que je demande à l'autre que je pourrais d'abord me demander à moi ? Les critiques que nous adressons aux autres sont aussi de bons moyens pour reconnaître nos projections ; elles ressemblent étrangement aux critiques que nous nous faisons intérieurement. Prenons l'exemple de l'homme déclarant que sa femme critique tout ce qu'il fait, au lieu de se demander ce qu'il ne peut admettre de lui-même. La projection nous renvoie à la fameuse sagesse de la cour d'école selon laquelle « c'est celui qui le dit qui l'est ! ». Nous interroger sur ce que nous critiquons chez l'autre peut nous renseigner sur nous-mêmes... La longue et fastidieuse réappropriation de ses projections est un signe d'intelligence et d'adaptation au monde. Au lieu de vouloir changer un monde sur lequel nous n'avons souvent que peu de prise, nous nous tournons vers notre monde intérieur que nous tentons d'aménager de la meilleure façon possible.

L'empathie

Comme nous l'avons vu dans le deuxième chapitre, la capacité de nous remettre en question et d'être lucides compte parmi les signes fondamentaux de l'intelligence émotionnelle. Des gens comme Nash, qui bénéficient d'une très grande intelligence logique, éprouvent souvent des difficultés avec l'intelligence émotionnelle, plus particulièrement sur le plan des relations interpersonnelles et de la qualité que celles-ci exigent: l'*empathie*.

L'empathie consiste essentiellement à nous mettre «dans les souliers de l'autre» et à lui refléter la compréhension que nous avons de lui. En ce sens, elle est une projection sur l'autre, mais une projection active. C'est cette projection volontaire dans la réalité de l'autre qui permet une meilleure communication. L'empathie est en quelque sorte un lubrifiant social, et un antidote par excellence à la culture narcissique. Dans une société obsédée par la satisfaction des besoins personnels et la communication à haute vitesse, il est plutôt difficile d'écouter réellement et patiemment l'autre. La difficulté à être véritablement empathique pourrait se résumer par cette très belle expression: «Tu ne peux pas entendre ce que je dis parce que tu parles trop fort.» Mais pourquoi parlons-nous si fort? Sans doute parce que comme l'a indiqué Carl Rogers[34], lorsque nous écoutons réellement quelqu'un, notre opinion personnelle se trouve menacée; il se pourrait que ce quelqu'un remette en question le point de vue que nous nous sommes fait sur le monde et qui nous rassure.

Un exemple utile pour comprendre l'empathie est celui de la vieille dame qui nous apprend qu'elle vient de perdre

34. Carl ROGERS, *Le développement de la personne*, Paris, Dunod, 1998.

son petit chat. Il est certes facile de lui dire de s'en acheter un autre. Mais que ressent cette vieille dame? Quelle histoire a-t-elle vécue avec son chat? Il est fort probable que son chat la renvoie à des souvenirs de sa vie passée auprès de son mari aujourd'hui décédé, ou bien que la mort de son petit animal éveille en elle la peur de sa propre mort, etc. Faire preuve d'empathie est donc une marque de respect de la différence de l'autre.

Mais l'empathie est difficile à développer, car elle repose sur un postulat de base plutôt angoissant: nous sommes fondamentalement seuls dans notre monde et l'autre évolue dans un mythe personnel différent du nôtre.

Pour être deux, il faut d'abord être un

Un des grands problèmes de la relation à l'autre vient de ce que nous sommes incapables d'entrer en relation avec nous-mêmes, alors que nous projetons inconsciemment notre monde intérieur sur les autres. Il faut dire que le collectif ne nous encourage pas à apprivoiser notre monde intérieur. Enfants, nous sommes très tôt conditionnés à nous fondre dans un groupe et nous voyons d'un mauvais œil les enfants qui s'isolent. Pourtant, le fait qu'un enfant désire jouer seul n'est pas nécessairement le signe d'un développement problématique. Tout comme de faire face aux autres permet de mieux connaître ses limites, la solitude permet à l'enfant de découvrir son monde imaginaire. Elle lui donne l'occasion de développer une relation d'intimité avec lui-même et de se développer intérieurement. Être véritablement l'auteur de ce que nous sommes prend racine dans la profondeur qu'apporte la solitude.

«Je suis solitaire et c'est pour ça que j'ai beaucoup d'amis», m'a dit un jour Jacqueline Kelen, dont j'ai découvert le livre[35] de façon assez synchronistique. J'ai toujours cru que les livres sont de bons compagnons, et parfois c'est tout comme si certains livres recherchaient notre compagnie. Plusieurs personnes, dont une amie très proche, m'avaient parlé de cette auteur et de son livre sur la soli-

35. Jacqueline KELEN, *L'esprit de solitude*, Paris, Renaissance du livre, 2001.

tude avant mon départ pour une tournée de conférences en Suisse et en Belgique. J'ai voulu me le procurer avant de partir, mais comme je devais m'en aller rapidement et qu'il fallait le commander, je n'ai pas pu. À la toute fin de mon voyage, après la dernière conférence que je donnais en Belgique, une des organisatrices est venue me voir pour me dire que je devais absolument rencontrer une femme. Cette femme, c'était justement Jacqueline Kelen ! J'ai donc pu rencontrer l'auteur et j'ai alors compris que son livre allait m'aider à faire avancer le présent chapitre, qui me posait des problèmes à l'époque, probablement parce que nous ne pouvons effectivement pas parler du rapport à l'autre sans parler de la solitude inévitable du héros que chacun de nous incarne dans sa quête personnelle.

Comme le souligne Jacqueline Kelen, nous avons naturellement tendance à demander au groupe de nous porter et parfois même de choisir à notre place. Mais il existe une richesse intérieure que nous pouvons développer si nous la cultivons et qui constitue le terreau de nos choix authentiques. Grâce au livre de Jacqueline Kelen, j'ai aussi redécouvert que nous pouvons développer l'intimité avec nous-mêmes en approfondissant notre imaginaire par la lecture de mythes et d'autres récits. Tout comme elle, je crois en effet que les mythes contiennent des repères initiatiques que nous découvrons à les fréquenter dans notre profonde solitude, et que ces repères nous permettent de développer nos véritables sources de créativité. Tout acte créateur prend d'ailleurs nécessairement racine dans la solitude. Qu'il s'agisse de la création d'un livre, d'un morceau de musique ou d'une vie, nous sommes seuls devant notre création. Et bien que le parcours des héros de la plupart des histoires soit pavé de rencontres, la quête de tout héros est essentiellement une quête solitaire.

C'est probablement parce que nous croyons que le couple va nous sauver définitivement de cet état de solitude inévitablement humain, parce que nous espérons que l'autre va enfin nous donner tout ce dont nous avons besoin, que la quête de la vie à deux s'avère souvent si difficile. La plus grande illusion créée par le couple consiste sans doute à nous faire miroiter que vivre à deux chassera définitivement notre solitude. Je crois plutôt, à l'instar de Jacqueline Kelen, que la chance que nous offre l'aventure héroïque du couple consiste non pas à ne faire qu'un, mais à devenir unique. La richesse d'une relation amoureuse est qu'elle permet d'exprimer son unicité à quelqu'un en particulier, quelqu'un qui nous aidera à devenir ce que nous sommes fondamentalement, et non pas quelqu'un avec qui nous allons nous fondre dans un *faux Nous*[36].

Les questions essentielles de l'engagement : respect, confiance et projets communs

« J'aime l'idée du mariage parce que c'est un acte d'héroïsme », a dit Claude Lelouch. Je considère en effet qu'au fil du long cheminement de l'individuation, l'engagement envers une personne représente une véritable quête héroïque. Une quête dans laquelle nous pouvons soulever trois grandes questions essentielles : le *respect*, la *confiance* et les *projets* communs. Un couple peut bien sûr connaître une multitude de problèmes, mais sans des réponses satisfaisantes à ces trois questions, sa durée est fortement limitée.

Est-ce que je respecte mon ou ma partenaire ? Le respect se traduit par une attitude tendant vers l'acceptation inconditionnelle de l'autre ; il implique que nous ayons reconnu une bonne part des projections que nous faisons habituellement sur l'autre. Nous ne voulons plus ni le changer ni qu'il se conforme à ce que nous souhaitons, et nous n'attendons plus de lui qu'il comble tous nos besoins. Il faut bien sûr avoir préalablement pris conscience que l'autre n'est pas une marchandise ou une machine à satisfaire nos besoins, mais un être à part entière qui vit dans un mythe différent du nôtre.

La vérité dans un couple peut être un puissant aphrodisiaque. Mais ai-je suffisamment confiance en ma ou mon partenaire pour lui exprimer cette vérité ? La confiance se

36. Le *faux Nous* est en quelque sorte le corollaire de la notion de *faux self* décrite par D. W. Winnicott (*op. cit.*). Il s'observe principalement chez les couples dont les partenaires, parce qu'ils sont chacun sous l'emprise d'un *faux self*, sont incapables d'entrer dans une relation intime.

traduit par une communication authentique. Lorsque j'ai confiance que l'autre peut m'entendre, il y a plus de chances que les problèmes se règlent au fur et à mesure. Cette confiance s'applique d'abord à soi et il faut parfois beaucoup de courage pour exprimer des choses qui risqueraient de déplaire et de réactiver la peur de l'abandon, par exemple. La confiance est l'ingrédient essentiel qui conduit les partenaires à s'exprimer librement.

Avons-nous des projets communs? Si oui, quels sont-ils? L'engagement se traduit concrètement par une quête à deux, ou par un but commun issu du Nous. Il implique ainsi que nous jouions dans la même équipe et poursuivions le même objectif, ce qui s'avère particulièrement difficile, voire impossible lorsque nous sommes dans une dynamique de jeu de pouvoir visant à diminuer l'autre plutôt qu'à le faire grandir.

Le propre d'une rencontre est de favoriser le développement d'un potentiel. Le couple, par exemple, offre la possibilité de faire naître un troisième terme à partir des deux premiers. Ce troisième terme pourra prendre la forme d'un enfant, d'une œuvre, d'une maison d'hôtes, etc. De nos jours, il est devenu fondamental de réfléchir à nos projets de couple puisque la finalité de celui-ci n'est plus nécessairement d'avoir des enfants. Comme le disait Saint-Exupéry, l'amour consiste à regarder ensemble dans la même direction plutôt qu'à se regarder l'un l'autre. Le projet commun donne alors un sens au Nous malgré les épreuves et les fluctuations du désir parfois égoïstes du Je.

Évoluer en couple

Lorsque nous participons ensemble à un projet commun, nous sommes susceptibles de connaître un sentiment d'évolution comparable à l'état de *flow* décrit précédemment. Le bonheur ne saurait être complet si nous ne participons pas au bonheur de quelqu'un d'autre, disait Scott Peck[37]. Ainsi, lorsqu'une relation nous permet d'évoluer, elle aura plus de

37. *Op. cit.*

chances de durer. Il faut toutefois s'engager à fournir des efforts pour se maintenir dans cet état après la lune de miel initiale. Évoluer ne signifie pas rechercher des sensations fortes et de l'intensité à tout prix. Éduquer des enfants dans un quotidien qui ne nous inspire pas toujours peut nous donner le sentiment de progresser à long terme. C'est peut-être d'ailleurs ce qu'inconsciemment nous aimons tant dans un couple: passer notre temps à résoudre des problèmes que nous n'aurions pas si nous vivions tout seuls...

L'individuation de chacun au sein du couple

L'individuation n'est pas uniquement un processus personnel, elle est aussi un processus collectif: le point de jonction entre l'individuation d'une personne et celle d'un peuple (j'y reviendrai au dernier chapitre) est justement l'individuation de chacun dans le couple. La construction d'un Nous au fil des épreuves que traverse le couple, tout comme le Je d'un individu ou le Nous d'un peuple, suit des étapes qui sont universelles. La question incontournable de la création d'un Nous est toujours essentiellement la même: comment allons-nous nous organiser pour faire quelque chose ensemble? Comment m'y prendre pour faire quelque chose avec l'autre sans fusionner avec lui, sans me sacrifier, sans me casser en morceaux ni devenir le locataire de moi-même.

Sur le plan personnel, l'individuation consiste à permettre au Je unique et unifié de s'organiser pour mettre ensemble toutes les parties de son histoire afin de n'en faire qu'une. Dans le couple, elle consiste à mettre en relation deux individualités pour faire émerger un projet commun qui transcende les oppositions. Le couple consiste donc en un espace aménagé par deux personnes en vue de créer quelque chose de nouveau. Sur le plan de la collectivité, l'individuation suppose la création d'un peuple allant au-delà des différences de cultures et d'ethnies afin de former une nation unifiée. L'apprentissage du Nous, c'est l'apprentissage de la transcendance des différences pour aboutir à un troisième terme unificateur. Cette émergence est associée à la pensée symbolique qui unit au lieu de diviser.

L'issue de la pensée symbolique et, indirectement, de l'amour, c'est une créativité qui nous permet d'aller vers la formation d'un lien à partir de pôles apparemment inconciliables. Au fil de l'individuation, ce troisième terme cherche continuellement à poindre. Il est cette faculté essentielle de l'âme qui consiste à percevoir l'autre non comme une menace, mais comme un allié potentiel, et à sentir le mince fil qui relie les opposés en soi et autour de soi.

Cet Autre indéfini, cet opposé à soi, est bien représenté par la personne de l'autre sexe ; il est celui que je ne pourrai jamais être, mais qui existe potentiellement dans mon inconscient comme dans celui de tout un chacun. Freud disait que lorsque nous rencontrons un être humain, la première distinction que nous faisons concerne l'identité sexuelle : « Homme ou femme ? » nous demandons-nous. C'est donc au sein de la relation homme-femme que nous faisons notre première expérience des opposés. C'est pourquoi cette relation représente l'un des archétypes les plus importants de l'inconscient et constitue un détour inévitable de l'individuation. Le rapport masculin-féminin, d'abord en soi et ensuite par le couple, est donc le portique de la civilisation, les colonnes qui tiennent l'édifice social. S'occuper de la guerre dans le monde, c'est s'occuper d'abord de ce qui se bat en soi. Prendre conscience de sa peur de l'autre, de sa différence, c'est déjà mettre en relation ses contradictions intérieures afin de se donner la possibilité de les transcender.

J'écrivais au début de ce livre que l'Univers cherche à prendre conscience de lui-même à travers nous. Je pourrais ajouter que le couple est un puissant laboratoire pour l'Univers. Une nouvelle conception de l'amour et du rapport à l'autre fait son chemin dans chacune de nos histoires d'amour ; certes, celles-ci sont parfois périlleuses, mais combien riches de promesses créatives ! Bien que chaque relation amoureuse soit unique, trois détours inévitables jalonnent l'individuation de chacun au sein du couple : l'état fusionnel, le jeu de pouvoir et le couple individué. La plupart des couples d'aujourd'hui restent bloqués à la deuxième phase, celle du jeu de pouvoir, pendant laquelle, paradoxalement, les partenaires cessent de jouer ensemble pour jouer l'un contre l'autre.

L'état fusionnel

Cet état se caractérise essentiellement par un abaissement des frontières du moi qui occasionne une fusion avec le monde de l'autre. Il consiste en une parfaite synchronisation, bien souvent illusoire, entre les désirs des deux partenaires. Cette phase, qui correspond à la période romantique de la relation, est très riche et très révélatrice de la mythologie du couple. Je demande souvent à mes clients, en thérapie, de me raconter leur histoire de couple en revenant aux questions et aux symboles qui ont marqué les débuts de leur histoire d'amour, cet amour naissant où tout leur semblait possible.

Se raconter est déjà un premier pas dans la mise en lumière des thèmes dominants de la mythologie du couple et aide à prendre une distance par rapport à l'état fusionnel qui évoluera immanquablement vers le jeu de pouvoir. Chaque couple a ainsi son histoire propre et son lot d'épreuves spécifiques qui ont laissé des traces sur leur état fusionnel de départ. Chaque couple se compare à un héros qui, à partir d'un état initial, cherche à devenir ce qu'il doit être ; le risque qu'il court est de céder aux enjeux du faux Nous lorsque les identités des partenaires ne sont pas suffisamment définies. Il ne peut en effet y avoir de vrai Nous sans Je, c'est-à-dire deux identités bien définies. Voici un exemple qui illustre bien cela : Marie, qui cherchait un sens à sa vie et qui était fascinée par les réalisations professionnelles de son partenaire, lui offrit, au tout début de leur relation, un magnifique sextant, appareil qui, anciennement, aidait à guider les navires. Cet objet symbolisait déjà le grand thème de leur relation : la nécessité où ils étaient de trouver une direction commune. Marie avait, de fait, une difficulté à s'orienter professionnellement. De son côté, Jean ne vivait que pour son travail, son identité s'étant construite essentiellement autour de ses réalisations professionnelles.

C'est donc du fait de leur incapacité à trouver un projet commun assez solide pour affronter les vagues et les tempêtes de la vie à deux que le Nous du couple s'échoua dans les abîmes de la fusion initiale. D'un côté, Marie avait de la difficulté à se définir et, de l'autre, Jean diluait ce qu'il était dans son travail. Cet élément leur apparut nettement à l'occasion d'un voyage pendant lequel ils vécurent leur première grande crise. Durant cette crise, Marie révéla le sentiment de vide qu'elle éprouvait, reprochant à son conjoint de ne pas être suffisamment présent pour elle à cause de sa profession qui, paradoxalement, l'avait fascinée au début. Le lendemain de leur dispute, ils firent une expédition en kayak de mer. Ils avaient choisi un modèle des plus performants, soit un kayak qui avait déjà été dans le Grand Nord québécois, l'un des plus résistants qui soit. Malgré cela, en plein milieu du fleuve Saint-Laurent, le gouvernail cassa. Très étonnés, ils parvinrent tout de même à le remettre en place et poursuivirent leur route. Mais l'incident se reproduisit une seconde fois : le gouvernail cassa à nouveau. Il est bien possible que, par ce gouvernail qui leur restait entre les mains, ils aient inconsciemment senti que leur couple avait perdu sa direction et qu'ils devaient chercher à mieux orienter leur Nous. À la suite de cet incident, Marie et son compagnon revinrent en effet à l'une de leurs questions de départ : quelle orientation donner à leur couple ? L'incident du gouvernail les avait invités à regarder en face leur projet commun qui, en fait, n'existait pas, étant donné l'état fusionnel dans lequel ils se trouvaient, si bien que les projections inévitables qui se produisent lors du jeu de pouvoir eurent raison de ce couple.

Le jeu de pouvoir

Vient un temps où la réalité de l'autre, avec ses différences et son mythe propre, apparaît au grand jour. C'est alors qu'apparaît le conflit : lorsque nous réalisons que l'autre n'est pas tout à fait comme nous l'avions imaginé au début. Le jeu de pouvoir se caractérise essentiellement par une phase de projection de nos conflits internes qui prend la forme de critiques, de reproches et d'accusations. Ce qui nous attirait et nous fascinait dans les prémices de notre histoire amoureuse, lors de l'état fusionnel, est généralement remis en scène à ce moment-là. Deux éléments caractérisent la phase du jeu de pouvoir: l'inadaptation à la réalité de l'autre, qui se traduit concrètement par des projections sur lui, et la répétition. Nos thèmes inconscients cherchent en effet à se mettre en scène dans le théâtre du couple, et comme la force créative du début de la relation fait à présent défaut, ils se répètent. Lors de cette phase du jeu de pouvoir, nous cessons de jouer dans la même équipe, nous cessons de voir l'autre comme un coéquipier pour le percevoir comme une menace, un adversaire.

Les crises propres à cette phase sont un peu comme l'intrigue principale de n'importe quel récit; elles donnent beaucoup d'informations sur les voies de solutions envisageables. La lutte de pouvoir au sein d'un couple voit souvent surgir le thème du dominant et du dominé, notamment lorsque le couple est basé sur une prise en charge de l'un par l'autre, que celle-ci soit motivée par l'âge, le salaire ou les connaissances. Cette dynamique est un rappel de la répression du masculin dans les premières traditions matriarcales, et du féminin dans la tradition patriarcale dont nous sortons à peine.

Le projet d'Alexandra

Un film met en scène le jeu de pouvoir d'une façon particulièrement violente. Il s'agit d'un film australien, *Le projet d'Alexandra*, du réalisateur Rolf de Heer. Alexandra, femme au foyer qui s'est consacrée à élever ses enfants et qui a été financièrement dépendante de son mari depuis leur mariage, souffre de ne pas avoir choisi sa vie. Elle aura vécu ainsi pendant de longues années avec un homme qu'elle trouvait insensible et égoïste, qui ne lui montrait plus la reconnaissance et le désir qu'il exprimait au début de leur relation. Au lieu d'en parler avec lui ou d'entrer en thérapie, elle a accumulé les frustrations sans mot dire. À l'issue de tout cela, elle passe plus de trois ans à économiser de l'argent et à préparer une vengeance impitoyable contre celui qui est devenu son pire ennemi.

Le non-dit éclatera le jour de l'anniversaire du mari d'Alexandra dans une mise en scène particulièrement violente. Alors que celui-ci rentre du travail après avoir reçu une promotion et qu'il s'attend à ce que sa famille l'accueille par une surprise-partie, il trouve sa maison plongée dans une obscurité totale; une simple cassette vidéo l'attend, posée en évidence dans le salon. Il est ainsi forcé d'écouter ce qu'Alexandra lui a préparé. Sur cette cassette, elle dit tout ce qu'elle a voulu lui dire pendant des années et, pour qu'il l'écoute jusqu'au bout, elle entame un strip-tease; à l'occasion, elle joue à la victime en faisant comme si elle avait un cancer du sein. L'appareil vidéo est ainsi devenu le seul moyen de communication de ce couple. Nous voyons alors comment l'homme exerce son contrôle à l'aide de la télécommande. En fait, comme le mari n'est pas intéressé par ce que sa femme raconte, il appuie sur le bouton d'avance rapide pour arriver plus vite au dénouement du strip-tease. L'insensibilité de cet homme envers sa femme et sa propension à ne la percevoir que comme un objet sexuel deviennent alors manifestes. Mais pourquoi Alexandra a-t-elle déclaré une guerre à son mari au lieu d'entamer le dialogue sur le malaise de leur relation? La question demeure ouverte pour bien des couples.

La mise en scène de ce film est remarquable. Nous sommes rivés devant l'écran tout comme l'homme devant son téléviseur. L'identification est immédiate. Cette mise en scène montre aussi parfaitement la communication unidirectionnelle d'un couple qui se trouve en phase de jeu de pouvoir. L'homme veut du sexe, la femme veut de l'attention. La projection sur l'écran de télévision de la femme idéale faisant un strip-tease est aussi fort évocatrice. Mais le personnage de la femme *sexy*, imaginé par le mari et momentanément interprété par sa femme, se retourne contre lui: plus tard dans l'enregistrement, sa femme fera l'amour avec un autre homme, puis elle le menacera de le quitter définitivement en emmenant leurs enfants. La mise en scène montre particulièrement bien comment le non-dit conduit au conflit et comment les projections opèrent dans la guerre de pouvoir. Mais comment passe-t-on de l'amour du pouvoir au pouvoir de l'amour?

De l'amour du pouvoir au pouvoir de l'amour

L'enjeu principal de la lutte de pouvoir est la reconnaissance: nous nous battons principalement pour être reconnus. Le chemin de la maturité amoureuse nous amène au contraire à regarder l'autre plutôt qu'à nous soucier d'être regardé par lui; à examiner ce que nous projetons sur lui et ce que nous lui demandons, au lieu de le critiquer pour ce qu'il ne peut nous donner ou de jouer à la victime qui n'a pas ce qu'elle désire. Une relation ne nous apportera pas plus le bonheur ou la reconnaissance qui nous ont fait défaut durant l'enfance qu'un travail ne nous rendra heureux. C'est habituellement au cours de la petite enfance que nous sommes aimés et protégés, bien plus qu'à l'âge adulte. La maturité amoureuse nous conduit à donner plus d'amour que nous n'en recevons et c'est peut-être l'une des voies pour sortir du jeu de pouvoir. Un couple évolue et progresse dans son individuation lorsque chacun des partenaires se préoccupe de donner davantage, plutôt que d'être admiré ou aimé. À défaut de quoi, le triste aboutissement du jeu de pouvoir est l'attente perpétuelle d'une reconnaissance. Cela mène bien des gens à vivre et à mourir «seuls», croient-ils, parce qu'ils attendent toute leur vie d'être aimés, conclut Jacqueline Kelen.

Le couple individué

Au cours de cette phase, deux partenaires à part entière, deux individualités entrent en relation et incarnent quelque chose qui les dépasse et les transcende. Un mouvement se crée à partir de deux singularités, un peu comme le mouvement de deux trains qui s'élanceraient en même temps sur deux voies parallèles ne se recoupant jamais. Si nous disons que l'individuation consiste dans la mise en place du mythe personnel et dans l'élaboration d'une réponse originale vis-à-vis du monde extérieur, le couple individué est la réponse créative et originale à la question essentielle du lien à l'autre telle qu'elle se pose au cours de l'individuation. Le couple individué naît ainsi de la rencontre de deux mythes qui se dévoilent l'un à l'autre, de deux questions qui se rencontrent et qui se complètent. Somme toute, l'amour dans un couple, ce sont deux questions qui s'aiment et se respectent, même si elles sont parfois différentes. À ce stade, nous avons le sentiment d'avoir choisi le ou la bonne partenaire pour «rêver notre vie» et pour vivre avec ce qui nous préoccupe intimement sans être bombardés de réponses toutes faites ou faire l'objet d'intrusions. L'amour, c'est avoir enfin perdu l'illusion que l'autre peut répondre pour nous à la question qui nous habite.

Le couple individué est en fait un couple dans lequel les partenaires sont entrés en relation avec leur partie opposée. L'individuation de chacun au sein du couple s'offre ainsi comme une occasion privilégiée de prendre conscience du visage inconscient de l'Autre en soi, que Jung a appelé l'anima pour l'homme et l'animus pour la femme, afin de se marier avec lui.

L'Autre en soi : animus/anima

La question fondamentale que pose l'animus/anima dans le processus d'individuation pourrait se formuler ainsi : que vais-je faire avec cet autre qui vit en moi, avec ce potentiel de femme ou d'homme qui n'a pas trouvé de chemin dans mon corps, mais qui vit dans mon inconscient ? Ce potentiel risque d'être réprimé par un jeu de pouvoir, alors qu'il est porteur de la promesse de vivre une plus grande harmonie avec soi. Depuis la nuit des temps, nous avons affaire à l'autre sexe. Cet opposé, qui existe aussi en nous, est parmi les archétypes les plus influents de notre psyché et il affecte considérablement nos relations interpersonnelles. La phase du jeu de pouvoir que traverse tout couple passe inévitablement par la reconnaissance de cet opposé que chaque membre du couple projette sur l'autre. Le couple devient alors le laboratoire d'initiation à la mystérieuse figure de l'autre, que nous portons au plus profond de notre inconscient et qui cherche à se frayer un chemin tout au long de l'individuation.

Tout comme la persona est l'indicateur de notre qualité de relation avec le monde extérieur, l'anima, comme l'animus, est un indicateur de la qualité de la relation que nous avons avec notre monde inconscient. L'anima inconsciente de l'homme s'exprime par des humeurs marquées et une très grande irrationalité. Ses représentations correspondent à plusieurs stades de développement qui ne sont pas nécessairement vécus dans le même ordre. Le processus d'individuation vise à intégrer les différents visages, qui étaient jusque-là séparés et inconscients, de l'anima/animus intérieur. Le premier stade de l'anima est personnifié par Ève, qui rappelle la mère et les fonctions maternelles ; le deuxième, par Hélène, la femme séductrice dotée d'attributs sexuels ; le troisième stade est celui de Marie, qui inspire le sentiment religieux et l'amitié avec une femme ; Sophia, la muse, apparaît au dernier stade. La fixation à une anima inconsciente, à Ève par exemple, donne le bon gars, le chic type qui veut faire plaisir à sa femme, qu'il considère comme sa mère ; une fixation à Hélène produira un don Juan aux prises avec un besoin insatiable de séduction. Tout homme tente d'intégrer les différents visages de l'anima à l'intérieur de lui ; l'aboutissement en est des relations davantage unifiées avec sa compagne.

L'animus inconscient de la femme prend souvent la forme d'opinions rigides, d'une répression du féminin ou d'un manque de confiance en soi qui se traduit par une soumission au masculin. Une emprise inconsciente de l'animus peut aussi se traduire par un comportement de « mégère » vis-à-vis des hommes. La femme aux prises avec un animus négatif et qui a peu confiance en elle s'identifiera facilement à des hommes eux-mêmes aux prises avec les aspects instinctifs et inconscients de l'anima ; c'est le cas d'Alexandra, qui endosse la polarité sexuelle de son conjoint, mais qui se perd dans ce rôle. Elle se met alors à obéir, telle Galatée à son Pygmalion, et n'offre plus à son partenaire que son corps, que celui-ci sculpte à sa guise, mais elle souffre de n'être qu'un jouet sexuel. Le premier stade du développement de l'animus chez la femme est représenté par l'homme reproducteur, le bon père de famille ; le deuxième, par l'amant, un homme généralement bien bâti, séduisant et entreprenant ; le troisième a le visage de l'ami à qui l'on fait des confidences, il est le conseiller ; au quatrième stade enfin, l'animus prend les traits du sage, de l'homme spirituel. Au cours de son individuation, la femme tente d'intégrer ces facettes de l'animus en les recherchant chez un même homme au lieu de les vivre de façon fragmentée, comme c'est souvent le cas au début ; il peut en effet être difficile de voir un bon père de famille et un amant dans le même homme, car il s'agit de projections que la femme doit se réapproprier avant de pouvoir regarder l'autre dans sa réalité et dans sa totalité.

Ces représentations archétypiques, comme tout archétype, obéissent à deux polarités principales : un aspect instinctuel et un aspect spirituel. Au cours de l'individuation, nous passons peu à peu de l'instinct à la vie spirituelle par l'intégration progressive du premier. Lorsque les archétypes agissent en nous sous leur forme instinctuelle et inconsciente, cela peut avoir toutes sortes d'effets : chez l'homme, des compulsions sexuelles, par exemple, jusqu'au moment où il rencontrera une représentation de son anima qui le fera évoluer vers un féminin plus spirituel et, ce faisant, vers un monde intérieur plus riche et moins mécanique.

Ces représentations, qui se transforment en projections dans la relation à l'autre, nous incitent à rechercher nos véritables sentiments et opinions. Elles sont donc notre porte d'entrée vers notre inconscient. Alors que l'anima intégrée devient l'inspiratrice de l'homme, l'animus intégré est la voie de la connaissance et de l'initiative chez la femme. Nous en apprenons beaucoup sur les phases et les visages de l'animus/anima en regardant les personnes de l'autre sexe que nous avons admirées au cours de notre vie, ou encore nos personnages fétiches au cinéma. En pensant à nos acteurs et actrices préférés, nous pouvons avoir un aperçu des stades où en sont nos anima/animus respectifs ainsi que de la qualité de la relation que nous avons avec notre inconscient.

L'individuation de Rose dans *Titanic*

Au cinéma, l'anima s'incarne dans certaines figures : celle de la femme séductrice interprétée par Marilyn Monroe voilà quelques décennies. Plus récemment, Madonna a joué sur les polarités de cet archétype en présentant un mélange de femme fatale et de sainte ; elle est aussi un bon exemple de femme qui a su jouer avec l'anima dans un contexte social donné. L'animus, de son côté, prend souvent les traits du marginal ; James Dean en fut un bon exemple. Le personnage de Jack, interprété par Leonardo DiCaprio dans *Titanic*[38], donne une forme intéressante à cet animus.

Ce film de James Cameron, qui a remporté un succès impressionnant, montre le processus d'individuation de Rose et l'intégration que celle-ci fait de son animus. Au début du film, nous apercevons cette jeune femme aux prises à la fois avec une mère envahissante et avec son futur mari, un millionnaire contrôlant et possessif. L'emprise de la mère est visible dans la scène où elle serre le corset de sa fille et tente de la forcer à épouser Carl. Ces deux êtres symbolisent, d'un côté, un complexe maternel négatif et, de l'autre, un animus dominateur. C'est alors que Rose « se fait embarquer » sur le *Titanic* par sa mère ; elle se fait « monter un bateau », pourrait-on dire. Il s'agit d'un paquebot dont le gigantisme renvoie symboliquement à l'emprise que peut avoir la mère de Rose sur celle-ci. Ce paquebot vogue sur des eaux glacées, symbole de la vie psychique figée de Rose. L'emprisonnement de la jeune femme est aussi symbolisé à merveille par le « cœur de l'océan » qui est enfermé dans un coffre. Malgré l'emprise de sa mère, Rose s'intéresse tout de même à l'art, notamment aux œuvres de Picasso, et à l'inconscient ; elle cite Freud. Tous ces élans créateurs sont cependant réprimés. Dans un épisode de désespoir, Rose cherche alors à s'extraire de ce bateau et de cette vie qu'elle ne souhaite pas. C'est à ce moment-là qu'elle rencontre Jack, un artiste peintre itinérant, symbo-

38. Ces réflexions m'ont été inspirées par le psychanalyste Pierre Ringuette à l'occasion de l'émission *Projections,* que je réalisais pour CKRL-FM, Québec, 2000-2001.

lisant parfaitement l'animus créateur de Rose. « Si tu sautes, je saute avec toi », lui dit-il d'ailleurs, comme s'il faisait partie d'elle.

La figure de Jack, qui émerge dans un contexte de chaos, ouvre une porte à Rose, qui la reçoit comme une bouffée d'air frais. Cette figure avait été jusque-là négligée – tel un passager de troisième classe reposant quelque part dans l'inconscient de Rose, pourrait-on dire. Mais dès qu'elle revient à sa conscience sous les traits de Jack, elle est en danger : le soupirant de Rose menace Jack de le retourner dans la cale, car il le prend pour un voleur... Pour le garder auprès d'elle, Rose devra parler et avouer que c'est elle qui est la cause de tout ; bref, se responsabiliser. Une relation se tissera ensuite entre elle et Jack, entre le conscient et l'inconscient. Rose se sentira à ce point en confiance avec le peintre qu'elle se mettra à nu devant lui et ouvrira le coffre pour lui montrer enfin le cœur de l'océan. Jack agit comme le révélateur de la créativité et de l'identité véritable de Rose. Il la révèle à elle-même, notamment en la dessinant et en l'invitant à danser, à jouer et à cracher sur le pont du bateau, au grand dam de sa mère d'ailleurs ! Progressivement, Rose se libérera de l'emprise maternelle, du bateau et d'un animus tyrannique. Elle fera l'amour avec Jack dans une voiture, symbole de liberté associé à la terre sur ce grand navire voguant sur l'eau. Après leur union, le *Titanic* heurtera un iceberg et coulera. Au cours du naufrage, Jack sombrera ; il a accompli sa mission, qui consistait à libérer Rose de l'immense complexe maternel qui dominait sa vie. Rose, elle, liera l'eau et la terre en faisant de la poterie, signe que son individuation a progressé : elle mettra ensemble, en quelque sorte, le monde de sa mère et celui de son père ; elle fera preuve de créativité et désormais, le complexe maternel ne l'envahira plus. Finalement, elle quittera son ancienne vie et s'installera en Nouvelle-Angleterre sous un nouveau nom, le nom de famille de Jack...

L'autre : une fenêtre sur le monde réel

Grâce à l'intégration de son animus, qui avait pris le visage de Jack, Rose a pu libérer la véritable identité qui sommeillait en elle. Prendre conscience de notre animus et de notre anima à travers les projections que nous faisons sur les autres rend possible un mariage avec soi, une unification des opposés qui nous habitent ; cette prise de conscience constitue le germe de la pensée symbolique unificatrice. La voie d'accès à notre monde intérieur passe donc inévitablement par la projection des représentations archétypales qui nous animent sur les autres, et par leur réappropriation sur le plan de la conscience ; c'est de cette façon que nous pouvons développer une plus grande lucidité. En ce sens, les figures de l'anima et de l'animus sont des portes d'entrée sur le monde intérieur. En les confrontant à la réalité de l'autre, nous ne nous enfermons pas sur nous-mêmes, comme le faisaient Nash avant sa rencontre avec Alicia ou Amélie Poulain avant de connaître Nino.

«Il n'y a pas d'individuation sans "tu"», a dit Jung. La question relationnelle demeure parmi les plus importantes dans la réalisation de soi. Dès notre plus tendre enfance, nous aimons aborder cette question par le jeu de cache-cache, espérant secrètement que quelqu'un nous trouve. Mais si nous continuons de nous cacher en grandissant, si nous ne nous montrons pas tels que nous sommes au moins une fois à quelqu'un, c'est comme si nous n'avions jamais existé ou que le scénario de notre vie s'apparentait à un film non réalisé…

CHAPITRE 5

Perdre ses illusions

Les catastrophes sont là pour nous éviter le pire.

CHRISTIANE SINGER

Nous pouvons toujours faire quelque chose avec ce que l'on a fait de nous.

JEAN-PAUL SARTRE

Ponette[39] a quatre ans lorsque sa mère meurt dans un accident de voiture. Comment survivre à une telle perte? Comment faire face à la vie lorsqu'elle nous prive de notre source principale de réconfort à un âge où tout est à faire?

Ponette est bien déterminée à retrouver sa mère: elle la cherche partout et l'attend fébrilement. Malgré une solitude infinie et une blessure au bras qui ne la quitte pas, elle prend soin de Yoyotte, la fidèle doudou en peluche qui la

39. Personnage central et titre d'un film de Jacques Doillon.

suit partout. Et il y a son petit chien russe, dessiné sur son plâtre par son père, qui la protège des vilains lions dont elle a peur. Son père la quitte bientôt pour une longue période de travail ; il ritualise alors la peine de sa petite fille en l'exerçant à ne pleurer que lorsque sa voiture démarrera. Avant de partir, il lui offre sa montre pour qu'elle puisse s'endormir avec elle et imaginer que c'est le doux et sécurisant battement de son cœur de père qui veille sur elle. Voilà donc avec quoi Ponette devra affronter le monde : une vieille doudou amochée, le tic-tac d'une montre en cuir et un petit chien russe dessiné sur son plâtre effiloché. Des petits riens qui, pourtant, lui permettront d'apaiser sa douleur et d'entrer progressivement dans un espace de jeu.

Parallèlement, la mystérieuse couleur rouge la suit tout au long de son parcours. Lorsqu'elle rêve de sa mère, celle-ci lui apparaît dans une chambre rouge, le lit de Ponette est rouge, les lunettes que lui offre sa petite amie au foulard rouge – celle qui lui fera passer les épreuves pour devenir une enfant de Dieu – sont aussi de cette couleur. La chambre de Dieu où elle va prier sa mère est rouge ; enfin, elle reçoit de ses amis cinq bonbons qui auront chacun une propriété magique ; celle du bonbon rouge, assez curieusement, demeure un mystère…

Après avoir passé toutes les épreuves de son amie, munie de ses cinq bonbons, de la montre de son père et de sa doudou en peluche qu'elle a mis dans son sac, Ponette s'aventurera au cimetière où est enterrée sa mère. Encore là, elle l'attendra, ou plutôt elle « jouera » à l'attendre. Après une scène particulièrement émouvante où l'on voit Ponette gratter la terre sur la tombe de sa mère, celle-ci lui apparaîtra enfin. Mais est-ce bien elle ou une hallucination ?

Lorsque j'ai donné une conférence sur ce film voilà quelques années, un père s'est présenté avec sa fille. Visiblement en deuil de son épouse, il m'a alors posé cette délicate question : est-ce la mère réelle qui apparaît à l'enfant dans le film ? À l'époque, je lui avais répondu, et je le crois toujours, que Ponette, à force d'espérer et de déterrer tout ce qu'elle pouvait, avait permis que quelque chose se mette en place à l'intérieur d'elle. Je pense que, lorsque le drame devient intolérable et que la nécessité de guérir s'impose, une créativité s'éveille à l'intérieur de l'être humain. En créant un espace de jeu sur le sol, à même la terre, en ritualisant sa peine, Ponette a éveillé en elle la créativité qui était essentielle à sa survie. Comme par hasard, sa mère sera représentée en tenant un pull rouge à la main. Cette mère lui montrera comment s'enraciner dans la vie en ne renonçant jamais à son désir de vivre que symbolise la couleur rouge. Elle invitera Ponette à continuer d'exister malgré le monde imprévisible et menaçant qu'elle découvre. Elle lui montrera qu'il vaut la peine d'apprendre à être contente malgré ce que la vie nous enlève. Elle demandera à sa petite fille de goûter à tout, de tout essayer et de tout vivre pleinement. Puis elle lui enseignera un nouveau jeu qui consiste à capter les souvenirs dans le vent.

Ponette a peut-être simplement capté le souvenir de sa mère au gré du vent, mais, chose certaine, cette expérience la calmera. Cette mère habitant au fond de ses rêves lui aura appris à la quitter tout en lui ayant montré qu'elle sera toujours là pour elle. Elle lui aura enseigné à jouer avec des souvenirs que personne ne pourra lui enlever. Maintenant, Ponette ne jouera plus à attendre sa mère, elle se tournera vers l'avenir en sachant qu'elle pourra toujours attraper quelque part un souvenir réconfortant. Après sa rencontre, elle reviendra auprès de son père, confortablement emmitouflée dans son nouveau pull rouge. Assez curieusement, de ses cinq bonbons, il n'en manquera qu'un seul… le rouge, la couleur du désir.

Ponette et la résilience

Ponette joue à attendre sa mère. Cela peut paraître absurde à un adulte que de voir un enfant agir de la sorte. Mais en jouant à attendre sa mère, Ponette entre dans un espace de création qui lui permet d'apprivoiser sa terrible douleur. Elle se raconte une histoire afin d'accepter progressivement l'irréversibilité de la mort et elle met alors en place ce que Boris Cyrulnik a appelé la «résilience».

La résilience désigne la propriété qu'a un matériau de reprendre sa forme après un choc. Appliquée à l'être humain, elle témoigne de la capacité à rebondir après une épreuve. Cyrulnik insiste sur le fait que ce n'est jamais le traumatisme en soi qui est source de stress pour une personne, mais plutôt l'incapacité à l'intégrer à son histoire. Selon cet auteur, tout traumatisme est supportable dans la mesure où le sujet peut l'élaborer dans un récit, c'est-à-dire l'inscrire dans son mythe personnel. La résilience fait en sorte que le drame n'occupe pas toutes les pages de notre roman personnel, mais qu'il devienne plutôt une note de bas de page rappelant la fragilité de la vie.

Le discours de nos proches à propos de ce qui nous arrive est un élément essentiel dans le développement de la résilience. Cyrulnik recourt au film très touchant *La vie est belle* pour montrer comment un père développe la résilience chez son enfant. En traduisant le discours du soldat allemand sous forme de jeu, le fils Giosué est protégé, voire dynamisé. Son père a littéralement «traduit» le réel pour son fils. Certes, il s'agit d'un mécanisme de clivage parce qu'il consiste à nier une partie de la réalité pour en construire une autre, mais le père donne ainsi une base à la créativité de son fils. «La narration permet de recoudre les morceaux d'un moi déchiré», dit si bien Cyrulnik[40].

Faire «peau neuve»

L'histoire de Ponette nous rappelle que le processus de perte est inhérent à la maturation. Pour faire peau neuve, nous devons renoncer à certaines choses, même à celles qui nous apparaissent comme vitales. Ce que la vie nous donne, elle peut nous le reprendre à tout moment. Pour être véritablement le créateur de notre vie, nous devons apprendre à nous tenir debout dans un monde où tout est amené à se transformer. À défaut de quoi, nous attendons que notre «mère» organise le monde à notre place, nous contentant d'agir seulement lorsque les conditions sont idéales.

Le parent qui favorise la résilience chez son enfant le prépare aussi à la séparation. Quelque chose dans l'être

40. *Op. cit.*, p. 60.

humain le pousse à quitter sa sécurité pour explorer de nouveaux horizons. Mais il arrive que le parent, sans en avoir conscience, émette un double message qui empêche l'enfant de réaliser la séparation pourtant nécessaire. Je pense par exemple à la petite fille qui déclarait à sa mère : « Non, maman, ce n'est pas "nous" qui allons à l'école, c'est "moi" ! » Renoncer, partir lorsque l'heure est venue, est une tâche qui incombe à tout un chacun et qui conduit à l'autonomie. Il s'agit d'une condition essentielle pour devenir ce que nous sommes.

Curieusement, au moment où j'écris ces lignes, j'entends par hasard Madonna qui fredonne *I learn to say goodbye,* tiré de sa chanson *The power of goodbye*... Lorsque ce besoin de séparation n'est pas encouragé et soutenu par le parent, l'enfant risque de chercher inconsciemment des substituts à la mère symbolique qu'il n'a pas eue. Les cordons invisibles qui relient symboliquement les adultes à la mère sont légion : l'alcool, la drogue, l'excès de nourriture, la sexualité compulsive, le monde virtuel, l'usage abusif du téléphone portable, bref toutes ces illusions qu'il nous faudra abandonner ou que nous devrons remettre en question pour devenir réellement adultes

Harry Potter et le motif de l'enfant abandonné

Ponette représente le motif universel de l'enfant abandonné. C'est le même motif que personnifie le célèbre Harry Potter, l'apprenti sorcier qui a perdu ses parents en très bas âge et qui vit avec des êtres qui le malmènent, notamment en le forçant à dormir dans le fond d'un placard. Le personnage de Harry Potter, qui est d'ailleurs une transposition de la vie difficile de son auteur, est un autre exemple de résilience. L'écriture des livres par l'auteur autant que le parcours du héros dans l'histoire sont l'illustration d'une capacité de transformation du réel par l'imaginaire. C'est peut-être en partie ce qui explique le succès mondial de ce récit : Harry n'a pas pu bénéficier des conditions idéales pour se développer, mais il va tout de même parvenir à vaincre les obstacles qui se présenteront à lui parce qu'il se comporte en héros et non en victime. Le motif de l'enfant abandonné est présent dans la plupart des mythes où le héros doit accomplir une quête. L'idée essentielle sous-jacente à cet archétype est qu'il faut quitter le monde connu pour entamer sa quête originale. Ce motif montre aussi que le parcours de séparation et d'individuation ne se fait pas sans peines et sans épreuves. *Il faut renoncer à ses pantoufles pour traverser l'hiver…*

Le mot «crise» signifie à la fois danger et opportunité en chinois. Mais l'étymologie grecque nous renvoie à quelque chose d'encore plus intéressant. Elle nous mène à l'idée de critique, de discernement. Autrement dit, traverser une épreuve ou une crise, c'est avoir une occasion de discerner l'essentiel. Dans la vie, choisir entre ce qui est facile et ce qui est nécessaire n'est pas toujours évident; l'équilibre entre les deux est toujours fragile. L'épreuve vient nous aider à trancher. La crise nous offre une occasion de grandir, car grandir, c'est réduire l'écart entre le rêve et la réalité, ou plutôt, pourrait-on dire, c'est faire de notre réalité un rêve réalisable. Comme le dit Jacqueline Kelen, l'épreuve décape, dépouille et permet au vrai soi d'émerger. L'obstacle révèle ainsi notre véritable identité. C'est en nous mettant en position d'insécurité que nous pouvons trouver ce que notre vie a de personnel et d'original. Autrement, nous risquons de rester accrochés aux jupes de nos mères, comme le personnage de Thomas dans *Thomas est amoureux.*

Thomas et le *puer*

Dans ce monde qui prétend tout prévoir et contrôler pour notre bien, certaines illusions sont rassurantes, celle d'une sécurité totale par exemple. C'est après avoir vu le slogan publicitaire d'une compagnie d'assurances disant ceci: «La vie est trop belle pour prendre des risques» que le réalisateur belge Pierre-Paul Renders a eu l'idée de son film. Il serait probablement d'accord avec Jacques Brel disant que, dès que nous nous assoyons, nous nous occupons de notre fauteuil… Le chanteur belge estimait que la vie ne peut être vécue pleinement que lorsque nous courons des risques.

Thomas, dans *Thomas est amoureux*, vit ainsi dans une petite niche virtuelle où il dispose de tout ce dont il a besoin grâce à sa compagnie d'assurances, *La Globale*. Il n'entre jamais réellement en relation avec les gens, uniquement à travers son visiophone. S'il pouvait exister une assurance indemnisation contre les chagrins d'amour, Thomas s'en procurerait certainement une. Il ne sort jamais de chez lui et ne laisse personne entrer dans son cocon. Agoraphobe, il est en thérapie depuis huit ans avec un psychothérapeute engagé[41] par sa compagnie d'assurances qui veille à tout pour que, justement, il ne prenne aucun risque. Mais sa thérapie plafonne et son psychothérapeute finit bientôt par l'inciter à bouger en donnant son nom contre son gré à une agence de rencontres.

Thomas se retrouve par ailleurs inscrit dans une firme fournissant des services d'infirmières prostituées. Fortement handicapé par son agoraphobie, il a la chance d'être un patient appartenant à une catégorie spéciale, ce qui lui permet paradoxalement de bénéficier d'avantages dont même les personnes en excellente santé ne peuvent espérer profiter un jour, comme ce service personnalisé. De toutes les candidates, il choisit une femme qui lui apparaît particulièrement triste. Et pour cause, cette femme, du nom d'Éva, travaille comme infirmière prostituée au lieu de purger une peine de prison ; ce métier est donc pour elle une peine de substitution. Cette femme est une belle représentation de l'état intérieur de Thomas et de son anima. Elle dit d'ailleurs : « Parfois, j'ai l'impression d'être à l'intérieur des gens », en pensant à son activité qui pèse de plus en plus sur ses épaules. Bien sûr, tout amour est impossible étant donné que Thomas ne sort jamais de chez lui et qu'il n'accepte personne dans sa prison imaginaire. Un temps viendra pourtant où son désir de retrouver Éva deviendra plus fort que tout, car sauver cette femme, ce sera aussi sauver son âme, pourrait-on dire. Lorsque son désir prendra le dessus sur sa peur, il tentera l'impensable. Déjouant une manœuvre habile de son psychothérapeute, qui s'oppose

---

41. Ce film incite à mener une réflexion sur le rôle possible de la psychologie dans le processus de victimisation des individus.

paradoxalement à son désir de sortir, Thomas courra le risque de quitter son appartement aseptisé et d'entrer réellement en relation avec cette femme, dont il tombera éperdument amoureux.

Thomas constitue un bel exemple de l'archétype du *puer*, c'est-à-dire de l'éternel enfant. Dans la mythologie gréco-romaine, cet archétype est symbolisé par un enfant-dieu qui reste toujours jeune, tels Dionysos ou Éros. La version moderne de l'enfant-dieu porte le nom de Peter Pan, personnage qui ne deviendra jamais homme, optant à la place pour une enfance éternelle. Le chanteur Michael Jackson, qui fait tout ce qu'il peut pour retarder son vieillissement, offre une très belle représentation de cet archétype. Il a d'ailleurs payé quelqu'un plusieurs centaines de milliers de dollars pour qu'il envoûte le réalisateur du récent film *Peter Pan*, car il était mécontent de ne pas avoir été choisi pour jouer le rôle principal.

La personne qui vit sous l'emprise du *puer* cherche à éviter le monde et les engagements auxquels il oblige parce qu'elle est demeurée inconsciemment soudée à la mère et à tous ses substituts. Michael Jackson reproduit d'ailleurs cela avec ses propres enfants en leur masquant le visage lorsqu'ils sortent en public pour les protéger du regard des autres ; mais ce faisant, il les prive certainement d'une partie de leur vie. Lorsque nous tentons de perpétuer l'enfance indéfiniment, c'est bien souvent parce qu'elle n'a jamais eu lieu…

Nous sommes condamnés à subir ce que nous ne pouvons imaginer

Qu'est-ce qui est vraiment traumatisant ? Tout événement qui vient bousculer notre sécurité, bref, la vie. Nous avons d'ailleurs tous un premier traumatisme en commun : celui de la naissance. Et nous devrons un jour ou l'autre faire face à notre lot d'obstacles ; il en sera ainsi jusqu'à notre mort. S'il est une phrase qui a marqué mon adolescence, c'est bien celle qui apparaît au tout début du livre de Scott Peck[42], énonçant cette simple vérité : « La vie est difficile. »

---

42. *Op. cit.*

L'imagination est peut-être ce qui nous manque pour affronter la vie de façon créative sans nous sentir écrasés par les contraintes inévitables qu'elle nous impose. L'imagination est un coussin entre nous et le monde que je qualifierais de « couche d'ozone psychique », au sens où elle est nécessaire à la protection de l'atmosphère propice à notre épanouissement. Par manque d'imagination, nous faisons porter aux autres la responsabilité de la réussite de notre vie ; par manque d'imagination, nous nous déresponsabilisons en jouant à la victime, nous attendons que le monde se mette à ressembler à nos désirs au lieu d'entreprendre de le transformer.

L'un des meilleurs exemples d'imagination et de résilience que je connaisse est celui du philosophe suisse Alexandre Jollien, l'auteur du livre *Le métier d'homme*[43]. C'est un ami suisse qui me l'a fait connaître en m'invitant à l'une de ses conférences alors que j'étais de passage à Lausanne. On m'avait dit qu'il avait un handicap causé par une erreur médicale lors de sa naissance. Il souffre d'une paralysie qui l'empêche de se mouvoir correctement et d'articuler clairement. Je dois vous avouer que j'étais réticent à assister à sa conférence. J'y suis allé pour encourager l'organisme de santé mentale qui l'invitait – une attitude qui n'avait rien de bien honorable…

Dès les premières phrases, j'ai été conquis et bouleversé. J'ai été littéralement fasciné par la sagesse émanant de cet homme devenu philosophe, conférencier et auteur ; cet homme qui a dû se battre toute sa vie pour ne pas laisser le regard des autres conditionner son destin et ne pas sombrer dans la « victimite ». Son discours, très limpide et profondément inspirant, ne visait pas à susciter la pitié. « Le regard de l'autre est certes important, mais il ne conditionnera jamais mon existence », nous a-t-il dit. Il nous a révélé comment, un jour, il a décidé de prendre position devant son implacable destin de personne vivant avec un handicap. Ce jour-là, entré par hasard dans une librairie, il a découvert Socrate ou, pourrait-on dire, Socrate est venu à

43. Alexandre Jollien, *Le métier d'homme*, Paris, Seuil, 2002.

sa rencontre et l'a interpellé. À compter de ce moment-là, sa vie a changé, il s'est imaginé qu'il deviendrait philosophe. Depuis lors, il s'est construit une couche d'ozone psychique qui lui permet de ne pas être asséché par le regard de l'autre. Son histoire montre comment une seule rencontre avec un tuteur de résilience, en l'occurrence Socrate, peut suffire à faire basculer quelqu'un de l'état de victime à l'état de créateur de sa vie.

Nos drames en question… s

Que veut réellement dire remettre sa vie en question, si ce n'est revenir à la question essentielle sous-jacente à tout ce que nous vivons? Quelle est la question la plus simple et la plus franche que nous puissions nous poser lorsque nous sommes devant à une situation difficile? Pour Jollien, la question aurait bien pu être: «Étant donné mon handicap, quelles facettes de ma personnalité voudrais-je développer afin d'exercer mon métier d'homme?» Autrement dit, il s'agit de partir de ce qui est au lieu de s'illusionner sur ce qui n'est pas.

Lorsque nous nous mettons en quête des questions essentielles, nous commençons à nous impliquer et à nous sentir préoccupés par le monde qui nous entoure. Ne pas nous sentir préoccupés par un problème peut nous priver de la créativité nécessaire pour transformer le monde. Quant aux problèmes que nous reconnaissons comme nôtres, ils sont souvent liés à une question plus profonde, mais qui nous échappe, en général parce que nous manquons d'imagination et que nous ne nous impliquons pas. Certes, nous pourrons tourner le dos à l'épreuve, mais l'épreuve, elle, ne nous lâchera pas.

Nous engager à faire face à nos problèmes et nous interroger sur ceux-ci, cela signifie souvent découvrir autour de quels thèmes gravitent les difficultés qui se répètent dans notre vie. Pour Jollien, la maladie a été une excellente façon d'aborder les questions essentielles du sens, du lien et de la fonction; il a trouvé des pistes de réponses lorsqu'il a approfondi ses connaissances en exerçant sa profession de philosophe. En ce qui a trait à sa relation aux autres, il racontait ainsi qu'avant sa découverte, il se sentait très seul dans l'hôpital où il était. À l'époque, personne ne lui rendait visite. Aujourd'hui, il donne des conférences, notamment dans les hôpitaux, et jamais tant de monde n'est venu le voir ! Transformer une épreuve en question personnelle est un début de résilience ; c'est aussi faire preuve de créativité dans la réalisation de son mythe personnel. Une telle réaction s'enracine dans la capacité toute personnelle de chacun à agir sur le monde. Les problèmes vraiment importants de notre vie ne peuvent recevoir qu'une solution individuelle, pensait Jung.

Le héros est celui qui persiste

S'il est une qualité que l'on reconnaît à tout héros qui fait preuve de résilience, c'est bien sa détermination. Ponette, par exemple, a cette caractéristique essentielle du héros, qui consiste à persister dans sa quête. Le véritable héros, celui qui nous inspire, est celui qui poursuit jusqu'au bout ce qu'il a entrepris. Mais en ces temps de « héros à la vitesse d'un flash », selon la très juste expression de Boris Cyrulnik, autant dire des étoiles filantes qui disparaissent au bout de quelques instants, il est plus difficile pour le commun des mortels de trouver des repères solides propres à soutenir la résilience. De surcroît, lorsque nos prétendus modèles peuvent se contenter de bomber le torse ou d'afficher leur poitrine pour gagner mille fois plus qu'un biochimiste, cela encourage tout un monde d'illusions…

Un héros, chez les Grecs, était élevé à ce rang parce qu'il avait accompli quelque chose qui sortait de l'ordinaire. Aujourd'hui, le simple fait de passer à la télévision suffit à rendre quelqu'un extraordinaire : il est connu, c'est donc qu'il est un héros, se dit-on. Une autre caractéristique de ces héros passagers est que l'idée de sacrifice leur est étrangère. Aussi avons-nous perdu, dans nos sociétés, le sens du sacrifice et l'idée qui l'accompagne, à savoir que, pour gagner quelque chose, il faut inévitablement renoncer à autre chose. Les formes modernes de sacrifice et d'initiation à soi-même prennent souvent le visage des deuils amoureux, de la maladie, des accidents, d'une faillite financière, car ce sont ces événements qui créent des avants et des après et qui marquent des changements de chapitre dans notre histoire. Pour cette raison, nous devons réfléchir à ces épreuves et en dégager les thèmes essentiels, car ce que nous n'élaborons pas de façon personnelle sur le plan psychologique risque de revenir nous hanter. Certes, personne n'aime souffrir, mais il s'agit ici de découvrir l'originalité de sa souffrance. Autrement, les questions que nous laissons inachevées, les événements vis-à-vis desquels nous demeurons indifférents alors qu'ils nous concernent nous pourchasseront comme le font les méchants au cinéma, ou les terribles dragons de la mythologie.

Lorsque je ne vais pas au bout des choses, je triche envers moi-même. Faire face à l'adversité, à ce qui est opposé à soi, à tout ce qui est symbolisé par l'ombre, c'est vivre pleinement sa vie.

Qu'est-ce que l'*ombre* ?

La façon la plus simple de définir l'ombre, à mon sens, est de dire qu'elle est un condensé de tous les rendez-vous manqués avec soi. L'ombre, c'est tout ce que nous avons refoulé dans l'inconscient par crainte d'être rejetés. Mais la psyché tend naturellement vers la complexification, si bien que l'une des tâches de l'individuation est de mettre ensemble les parties de la psyché qui ne vont *a priori* pas ensemble, soit le conscient et l'inconscient, afin de faire de nous l'être le plus complet possible. Il n'existe pas *une* façon de s'individuer, pas plus qu'il n'existe de recette miracle pour apprivoiser son ombre, mais il y a des questions inévitables qu'il faut se poser. Celles qui sont reliées à l'ombre pourraient se formuler ainsi : qu'ai-je fait de celui que j'aurais pu être ? À quoi ai-je dû renoncer pour être la personne que je suis devenue ?

L'ombre nous amène à regarder les points aveugles de notre psyché et les questions-thèmes que nous avons écartées sans les développer. L'ombre, c'est ce que la psyché a de plus efficace pour nous amener à nous responsabiliser. Bien sûr, lorsque nous la projetons sur autrui, elle nous cause des ennuis, mais lorsque nous nous la réapproprions, elle nous permet de réellement nous transformer et de nous responsabiliser. J'ai connu, par exemple, une cliente qui était très attentive à l'incompétence de ses collègues de travail. Cette sensibilité résultait en réalité de la projection de sa propre peur de paraître incompétente aux yeux des autres. En en prenant conscience, elle fut à même d'examiner ce qu'elle pouvait faire pour se sentir à la hauteur.

Dans la poubelle de nos rêves…

L'ombre n'est aucunement négative en soi. Si elle l'est, c'est simplement parce qu'elle constitue le négatif de nos choix, comme la pellicule d'un film est le négatif de ses images. En réalité, l'ombre peut être conçue comme une qualité, une potentialité qui n'a pas encore été développée. C'est pourquoi Jung a aussi parlé d'*ombre blanche*. Celle-ci contient les envies, les désirs et les rêves que nous n'avons pas réalisés, mais qui s'imposent à nous et nous poussent tout le long de notre individuation. Les questions qui se posent alors sont : quels sont les rêves auxquels j'ai renoncé pour être ce que je suis ? Quels aspects de moi ai-je dû réprimer ? Paula, par exemple, a toujours voulu écrire, mais au lieu de développer son talent, elle critique continuellement les écrits des autres. La critique lui permet ainsi de ne pas s'impliquer dans le développement de la facette de sa personnalité qui sommeille en elle. Le travail sur l'ombre demande que nous examinions ce que nous critiquons chez les autres et que nous nous demandions quel est notre rapport avec ce que nous critiquons ainsi. Il nous invite à fouiller dans la poubelle de nos rêves afin de recycler les vieux rêves qui dorment souvent depuis fort longtemps au fond de nous.

L'ombre et les héros de films

L'un des meilleurs films qui porte sur l'intégration de l'ombre est *Harry, un ami qui vous veut du bien*, film que j'ai déjà commenté en détail[44]. Cela dit, tout personnage qui éveille un sentiment particulier de fascination, d'envie ou

44. Jean-François VÉZINA, *Les hasards nécessaires*, Montréal, Les Éditions de l'Homme, 2001, p. 90.

de répulsion peut représenter notre ombre sur la toile de cinéma. Le négatif de nous-mêmes (blanc ou noir) trouve alors une forme pour s'exprimer. Nos rêves, nos désirs, nos peurs, les questions que nous avons laissées en suspens prennent le visage des personnages qui nous bouleversent.

Voici trois exemples du sort que trois personnes ont réservé à leur ombre dans leurs relations avec des personnages de films. Robert a projeté sur Indiana Jones l'aventurier qui sommeillait en lui. La première fois qu'il a vu le film a été une aventure en soi, car il dut se rendre à la ville voisine où se trouvait le cinéma, lui qui n'était pratiquement jamais sorti de son village natal. Robert avait toujours voulu voyager, mais ses parents l'en avaient empêché en prônant la sédentarité et en projetant sur lui leur propre peur de l'inconnu. Or ce désir réprimé sommeillait en lui et il trouva à s'exprimer à la vue d'Indiana Jones, qui devint son héros favori. Corinne ne savait pas pourquoi le personnage de Beth dans le film *L'amour est un pouvoir sacré*, de Lars Von Trier, lui répugnait. Femme active et indépendante, elle ne s'était jamais réellement investie dans une relation. Beth incarnait en fait la vulnérabilité et la dépendance que Corinne réprimait au fond d'elle-même, car elle ne voulait pas se demander ce qu'il en était de ses propres vulnérabilité et dépendance. Serge, au tournant de la quarantaine, a été marqué par la crise de sens qui secoue Rémy dans *Les invasions barbares*. Pour Serge, voir décliner son pouvoir de séduction est une catastrophe. Que peut-il se cacher dans l'ombre d'un séducteur? C'est ce qu'il a tenté de découvrir lorsqu'il a regardé le parcours touchant de Rémy réalisant que sans la séduction il devait chercher un nouveau sens à sa vie, et ce, avant sa mort prochaine.

La quarantaine: une confrontation avec l'ombre

Dans son excellent livre, Darryl Sharp[45] associe la quarantaine et la confrontation avec l'ombre. Entendons ici que la crise de la quarantaine n'est pas universelle et ne se

45. Darryl SHARP, *La quarantaine héroïque*, Lachine, Éditions de la Pleine Lune, 1992.

déroule pas nécessairement à quarante ans. La quarantaine est davantage un moment symbolique, le chiffre quarante étant notamment associé aux quarante jours du passage dans le désert et la quarantaine, à une période de retrait. Il y a de multiples façons et raisons de vivre la crise de la quarantaine, mais celle dont traite Sharp concerne essentiellement le motif archétypal de la confrontation avec l'ombre. La crise de la quarantaine concerne nos choix et constitue une invitation à les examiner de plus près. Les questions que nous adresse notre inconscient lors de cette crise peuvent ressembler à ceci : vers quelles tâches est-ce que je me sens poussé intérieurement bien que j'aie peur de les entreprendre ? Est-ce que je fais toujours ce que j'ai vraiment envie de faire ? Suis-je à l'écoute des petits signes qui m'indiquent que l'eau approche du point d'ébullition (pour reprendre la métaphore des grenouilles...) ? Les questions et les défis que nous nous sommes posés à l'adolescence et qui semblaient remplis de promesses, parce que nous avions l'illusion que les possibilités d'y répondre étaient infinies, se posent de nouveau à nous au tournant de la quarantaine. Cette fois, la confrontation ne se fait pas vis-à-vis d'un système de valeurs externe, tel celui de nos parents, mais vis-à-vis de notre propre système de valeurs qui est alors mis à l'épreuve de la réalité. Ce faisant, nous réalisons que les moyens avec lesquels nous nous sommes adaptés plus jeunes et les réponses que nous avons fournies à l'adolescence ne sont bien souvent plus valides à la quarantaine.

D'après Joseph Campbell[46], la crise de la quarantaine peut se résumer par cette image : nous passons la première partie de notre vie à grimper de peine et de misère sur le toit d'un édifice pour nous rendre compte, parvenus au sommet, que nous nous sommes trompés d'édifice...

Au tournant de la vie, notre baluchon contient une foule de choses : des choix que nous n'avons pas faits, et bien souvent des rêves que nous n'avons pas réalisés. L'ensemble de ces choix et de ces rêves cherche alors à s'exprimer ; et

46. *Op. cit.*

il le fait d'une façon toute particulière parce que nous nous trouvons au mitan de la vie et que nous commençons à ressentir une certaine urgence de vivre. Que deviennent tous les possibles que nous n'avons pas réalisés? Cet avocat que nous voulions devenir et qui s'est tu? Ce musicien qui rêvait de jouer et qui s'est endormi? Ce peintre qui imaginait de grandes toiles et n'a fait que des esquisses?

La crise de la quarantaine réunit les deux faces de l'ombre: soit la noire, c'est-à-dire les parties dont nous ne sommes pas fiers, qui apparaissent à présent au grand jour; mais aussi la blanche, représentant les qualités que nous aimerions développer, les possibilités nouvelles que nous ignorions de nous-mêmes jusqu'à récemment, car elles s'étaient endormies dans la poubelle de nos rêves. À la quarantaine, les miroirs que nous avions construits autour de nous pour y voir reflétée l'image d'une identité sans ombre commencent à se craqueler. Nous ne pouvons plus uniquement nous définir par des choix extérieurs. Notre Soi cherche à entrer en scène en nous incitant à effectuer une exploration intérieure. Alors que l'ambition est le moteur de la première moitié de la vie, l'acceptation et le discernement de ce qui est vraiment essentiel, voire la quête de spiritualité, constituent les tâches principales de la seconde partie de la vie.

La perte des illusions

Avec le temps, nos possibilités s'amenuisent. Enfants, nous apprenons à tout vouloir; adultes, nous devons apprendre à renoncer à beaucoup de choses. Comme l'adolescence, la crise de la quarantaine tente de faire évoluer le sujet du stade de *puer* au stade d'adulte; pour la femme, du stade de *puella* à celui de femme. Nombre de crises de la quarantaine naissent du besoin de grandir et de trouver le calme lié à une forme de sécurité. À l'inverse, ceux d'entre nous qui se sont enfermés dans des choix sécurisants, tentent parfois de folles aventures à la quarantaine. Pour celui qui est demeuré *puer*, c'est-à-dire celui qui n'a jamais affronté le besoin de grandir, cette période consistera à acquérir davantage de sécurité. Comme le dit Jacqueline Kelen[47],

47. *Op. cit.*

nous perdons en intensité ce que nous gagnons en sécurité, et vice versa.

Le *puer* ne se sent pas responsable de ses actes, il agit par impulsion. Il justifie tout ce qu'il fait par un « c'est ce que je sens ». Mais le *puer* ne se connaît pas réellement et ne peut discerner ce qu'il ressent véritablement, surtout s'il est aux prises avec un complexe maternel qui filtre sa relation avec son inconscient. S'il veut grandir, il devra bien évaluer ce qu'il éprouve et prendre des distances vis-à-vis de son insatiable besoin de sensations intenses. Les adolescents sont plus enclins à rechercher de telles sensations, dans les sports extrêmes par exemple, mais lorsque ce besoin perdure à l'âge adulte, il peut traduire une difficulté à reconnaître les véritables besoins. Si tel est le cas, nous en voulons plus sans toutefois jamais parvenir à atteindre la satisfaction que nous recherchons.

Le *puer* a horreur de l'engagement sous toutes ses formes. Il refuse donc d'assumer ce qu'il ressent et de se responsabiliser face à cela. Il est toujours sur le point de réaliser quelque chose sans jamais plonger dans son projet ; de ce fait, il demeure en périphérie de lui-même et de la vie. C'est pourquoi la recherche de sensations compulsives devient parfois le seul moyen d'accéder au sens. C'est aussi pourquoi le moment de la quarantaine est décisif dans le processus d'individuation ; par la crise qu'il nous fait vivre, il nous offre une occasion de cesser de flotter et de nous enraciner enfin dans notre vie. Cette période est l'occasion de nous libérer de la liberté illusoire produite par l'attachement à la mère et de cesser de vivre dans l'infini des possibles. Le *Yi King*[48] donne un enseignement pertinent à cet égard : « Des possibilités illimitées ne sont pas ce qui convient à l'homme. Sa vie ne ferait alors que se fondre dans l'indéfini. Pour devenir fort, il a besoin des limites librement établies que constitue le devoir. Ce n'est qu'en s'entourant de limites et en se fixant librement pour répondre au commandement du devoir que l'individu acquiert sa signification en tant qu'esprit libre. » La liberté commence lorsque nous prenons conscience de ce qui est possible et de ce qui ne l'est pas.

48. Il s'agit du *Livre des transformations* de la tradition chinoise.

L'ombre du *puer* associé à Dionysos, c'est le *senex*, c'est-à-dire le vieux sage consciencieux et discipliné représenté par Apollon. Certes, les deux ont leur place, mais dans notre culture à tendance dionysiaque, faire face à notre ombre signifie plus souvent entrer en relation avec le *senex* et avec le sentiment du devoir qui accompagne cet archétype inconscient. Cela dit, un individu qui arriverait à la quarantaine avec un *senex* dominant, en ayant eu une vie très rangée et très organisée, s'orienterait sans doute plutôt vers une dynamique dionysiaque, son inconscient visant à le rapprocher de sa vie instinctuelle.

Somme toute, la quarantaine est une invitation à se familiariser avec ce noyau de ténèbres, cette ombre qui, depuis le début de notre vie, emmagasine les refoulements, engendrant une coupure avec soi qui finit bien souvent par faire de nous des morts-vivants.

La tautonomie

Qu'est-ce que la *tautonomie*? J'ai entendu ce mot pour la première fois en écoutant un reportage radiophonique au sujet d'un rescapé d'une chute en montagne. Cet homme fut obligé de se couper délibérément un bras pour pouvoir se sortir de son piège et être finalement retrouvé par les secouristes. La tautonomie est donc liée à l'instinct de conservation et consiste à s'amputer d'un membre afin de survivre. Il s'agit d'un instinct de survie que l'on trouve chez les animaux, mais qui peut aussi se manifester chez l'humain. J'ai appris, curieusement au cours de la même journée, lors d'une formation sur le psychanalyste Ferenczi, qu'il s'agissait aussi d'un mécanisme psychique. La tautonomie psychique consiste ainsi à se couper psychologiquement d'une partie de soi lorsqu'on se sent en danger. C'est ce que nous faisons régulièrement vis-à-vis de certaines parties de nous-mêmes. Mais ces parties existent toujours dans l'ombre de notre psyché. La confrontation avec l'ombre devient alors une occasion de reprendre contact avec ces parties mal aimées de soi et de libérer notre véritable créativité.

La vie créatrice

Être créatif, c'est s'occuper de ce qui pourrait nous détruire et le transformer. *Créer une œuvre d'art, c'est faire un peu de ménage dans le chaos du monde.* Gustav Mahler disait, quant à lui, que «[l]'artiste est celui qui tire dans le noir». La créativité est donc inévitablement liée à la question de l'ombre. Être créatif, c'est intégrer nos contradictions pour en faire un tout cohérent, grâce à une vision qui les transcende. La créativité consiste essentiellement à mettre ensemble deux choses qui n'iraient pas ensemble naturellement. Ces opposés existent en nous. Leurs figures principales sont celles de l'ombre, de l'animus/anima, et nous nous confrontons à elles. Mais il existe aussi et surtout cette incontournable opposition entre le monde extérieur et le monde intérieur.

La créativité constitue ainsi l'un des enjeux de la maturité. L'enfant doit concilier en lui la bonne et la mauvaise mère. L'adulte se doit de concilier le bon et le mauvais adulte qu'il est devenu. Il doit tenter d'harmoniser la partie de lui qui a rêvé sa vie avec celle qui est en train de se réaliser. Nous n'arrivons à nous connaître qu'en intégrant nos contraires et nous ne sommes adultes que lorsque nous sommes aptes à vivre dans les paradoxes. La créativité est une question de prise de position devant ces paradoxes. Quelle position adoptons-nous devant tel événement particulier? Que savons-nous de nos réactions en cas de crise, de deuil ou de défi qui nous semblent insurmontables? Avons-nous l'habitude de ne pas nous sentir concernés par ce qui nous arrive et de laisser nos proches trouver des solutions à notre place?

La créativité est aussi l'expression de ce que nous avons de plus personnel. J'aime découvrir chez quelqu'un sa petite signature unique, sa marque personnelle. Pour l'un, ce sera une façon de prononcer certains mots, pour l'autre, ce sera la manière de bouger le petit doigt. Nous avons tous quelque chose d'unique en nous, soit une marque qui nous distingue même si nous faisons tous partie de la race humaine.

Le jeu du «J'aime, j'aime pas» dans *Le fabuleux destin d'Amélie Poulain* offre une façon intéressante de découvrir la créativité d'une personne. Dans ce jeu, les personnages sont présentés avec leurs goûts singuliers, par exemple le plaisir tout simple qu'éprouve Amélie à casser la surface caramélisée des crèmes brûlées. La créativité, loin d'être l'apanage des artistes, est une attitude que l'on adopte devant le monde. Pour cette raison, elle est souvent ce qui nous permet de résoudre les problèmes quotidiens : comment payer le prochain loyer, résoudre un conflit au sein d'un couple, réparer le moteur de la voiture, etc. En ce sens, l'incertitude du futur est peut-être le plus beau présent offert à l'homme, car elle lui donne l'occasion d'être créatif. Le monde bénéficie de nos épreuves et de notre créativité pour se développer et se complexifier. La vie cherche toujours à se frayer de nouveaux chemins et de nouvelles voies de développement à travers nos déséquilibres.

Pour faire rire les dieux...

Perdre quelque chose ou quelqu'un, ou traverser une crise, est donc une occasion de complexifier la vie qui est donnée à tout un chacun. À notre échelle, les dilemmes et les épreuves sont des occasions d'apprentissage que nous pouvons saisir ou non pour offrir à la vie de nouvelles avenues. Les Grecs croyaient qu'il y avait un dieu pour chaque domaine de la vie : Éros pour l'amour, Chronos pour le temps, Morphée pour le sommeil, etc. Dans leur conception, les épreuves que nous, les humains, traversons étaient une sorte de distraction pour les dieux. Un peu comme si nous avions été les personnages du cinéma des dieux ; nos péripéties les gardaient en haleine et les amusaient. À la fin de sa vie, disaient-ils, chacun devrait se demander qui des dieux il avait le plus distrait ou le plus fait rire. Il fut un temps où j'ai sûrement dû bien distraire le dieu de l'amour avec mes histoires...

CHAPITRE 6

Une question de sens

Le sens de mon existence est que la vie me pose une question. Ou inversement, je suis moi-même une question posée au monde et je dois fournir ma réponse, sinon j'en suis réduit à la réponse que me donnera le monde.

CARL G. JUNG

Rien n'est pire que l'échec, sinon la réussite lorsqu'elle ne nous comble pas.

LUC FERRY

Je garde un souvenir très précis de l'une des questions les plus importantes de mon enfance. Je me souviens de m'être demandé avec insistance s'il était possible de faire momentanément reculer le monde afin de corriger un de mes gestes. Avec le recul de l'adulte, je me rends compte que c'était ma façon naïve d'aborder le sens de la vie et de tenter de contourner son implacable irréversibilité. Mais j'ai découvert que, même si je ne pouvais revenir en arrière, la vie me présente de nouvelles prises, un peu comme à un réalisateur de films, afin de m'aider à mieux jouer mon rôle.

Lorsque des artistes nous fascinent, c'est qu'ils ont nécessairement un questionnement proche du nôtre. J'ai par exemple retrouvé la question que je me posais dans l'univers du cinéaste polonais Krzysztof Kieslowski. Comme le souligne Annette Insdorf[49], c'est l'intervention d'un signe, quel qu'il soit, propre à faire évoluer un personnage, qui conditionne l'ensemble de l'œuvre de ce cinéaste. Lorsqu'on lui demanda ce qu'il cherchait à faire dans ses films, Kieslowski répondit qu'il cherchait ni plus ni moins à filmer les traces de l'âme à travers le temps qui passe. Dans la filmographie de Kieslowski, il y aurait, comme il le suggère dans *La double vie de Véronique*, un principe s'apparentant au marionnettiste, un gars des vues tirant des fils quelque part, et dont nous, spectateurs, cherchons la trace, un peu comme celle de l'âme dans notre histoire humaine.

Dans *La double vie de Véronique* et *Rouge*, Kieslowski pose les questions suivantes: que serait la vie des personnages si... ? Comment réagirait le personnage s'il était prévenu par tel signe? Dans *La double vie de Véronique*, Véronique répond à l'appel d'un auteur et marionnettiste qui lui fait comprendre, à l'aide d'une histoire, qu'elle devrait arrêter de chanter, à défaut de quoi elle risque de mourir d'une crise cardiaque[50] comme sa sœur jumelle, dont elle ignorait jusque-là l'existence. Dans *Rouge*, une foule d'indices sont disséminés tout au long du film afin de suggérer qu'un ordre supérieur opère continuellement dans la vie des personnages.

Kieslowski et le mince fil rouge de l'âme

Rouge, le troisième volet d'une trilogie, venant après *Bleu* et *Blanc*, est le dernier film de Kieslowski. Il porte sur la fraternité. On définit généralement la fraternité comme un lien

---

49. Annette Insdorf, *Krzysztof Kieslowski, doubles vies, secondes chances*, Paris, Cahiers du cinéma, 1999.
50. Assez ironiquement, Kieslowski est mort lui-même d'une crise cardiaque en 1996.

de solidarité et d'amitié entre les hommes. Pour Kieslowski, la fraternité, c'est aussi être proche de ses voisins. Le film traite du lien subtil qui unit tout un chacun au monde par le mince fil secret qui relie les unes aux autres les histoires des hommes. C'est un film sur les rencontres qui se font et sur celles qui ne se font pas, sur les occasions uniques que l'on saisit ou qu'on laisse passer.

Le cœur du film consiste dans la rencontre entre Valentine, une jeune femme mannequin dont la relation amoureuse avec un homme lointain bat de l'aile, et un vieux juge misanthrope à la retraite qui espionne les conversations de ses voisins à l'aide d'une radio à ondes courtes. Deux personnes qui n'avaient rien pour se rencontrer, mais qui vont entrer en relation et coudre ensemble leurs destins. Chez chacun d'eux en effet, la relation aux autres a été coupée, le fil, rompu ; et l'histoire qu'ils vont vivre ensemble, grâce à un accident, montre comment ils vont progressivement parvenir à nouer une profonde amitié et une nouvelle relation avec le monde qui les environne.

Au début du film, nous apercevons Auguste, un jeune étudiant en droit, dans son appartement. Derrière lui se trouve le tableau d'une danseuse de ballet classique arborant une position arquée. Ultérieurement, nous verrons Valentine adopter la même position que la danseuse. Kieslowski suggère ici que l'image de Valentine était déjà quelque part dans la psyché d'Auguste et n'attendait que le moment propice pour être découverte[51] et entrer en relation avec lui. Auguste, qui sort de son appartement avec son chien, l'éloigne du chemin juste à temps pour éviter qu'il ne se fasse écraser par une voiture rouge. Qu'est-ce qui a prévenu Auguste du danger qui menaçait son chien à ce moment-là ? Et pourquoi est-ce un autre chien qui, un peu plus tard, est responsable de la rencontre entre Valentine et le vieux juge Joseph ? Auguste continuera sa promenade jusque devant un café qui s'appelle, comme par hasard, Chez Joseph, le nom du vieux juge que Valentine

51. Ce thème existe déjà dans *Bleu*, où un simple musicien de rue joue à la flûte les notes de la symphonie interrompue écrite par le compositeur décédé et qui sera ainsi redécouverte par sa femme.

rencontre après avoir heurté l'autre chien dans la suite de l'histoire. Une connexion s'établit ainsi entre le jeune étudiant et le vieux juge, comme s'ils étaient au fond la même personne.

Avant son accident[52], Valentine manque de près plusieurs occasions de rencontrer Auguste. Elle passe par exemple en voiture près de lui ; or, derrière elle se trouve un espace publicitaire vide dans lequel sera plus tard insérée son image pour une publicité de gomme à mâcher. Cette image de Valentine qu'Auguste aperçoit dans la voiture est le visage sur lequel se terminera le film après le naufrage qui aura enfin réuni Valentine et Auguste. Voilà donc les traces des petits fils qui relient les personnages les uns aux autres et qui suggèrent qu'il existe un ordre opérant au-delà de ce qui est montré.

Le film *Rouge* est aussi une belle illustration de rencontre synchronistique, soit une rencontre qui va bouleverser la vie de deux personnes dont l'individuation était bloquée. Les deux personnages peuvent également symboliser deux parties de soi : d'un côté, la partie qui rêve, la partie naïve typique de la première moitié de la vie, symbolisée par Valentine ; de l'autre, la partie de soi désillusionnée et repliée sur elle-même, représentée par le vieux juge. Valentine peut ainsi être vue comme représentant l'anima et le monde intérieur du juge, alors que ce dernier symbolise l'animus rigide de Valentine et son rapport distant avec les hommes. La rencontre synchronistique viendra remettre en marche l'individuation de ces deux personnages, symbolisant ainsi une réconciliation avec soi.

De plus, comme je l'indiquais précédemment, le fil a été rompu, en chaque personnage, entre les deux facettes de ce qu'ils sont et deux moments de leur vie ; une coupure s'est ainsi opérée en eux, qu'il leur faut réparer par une nouvelle fraternité. La fraternité, qui est le thème central du film, concerne ainsi les différentes parties de soi et les différents

52. Le motif de l'accident de voiture est un thème récurrent dans l'œuvre de Kieslowski. On le retrouve notamment dans la scène initiale de *Bleu*, le premier film de la trilogie. On sait par ailleurs que la mère de Kieslowski est morte dans un accident de voiture.

âges qui tentent de coexister au sein de la personne. Chez le juge, nous apprendrons que la coupure est venue d'une trahison par une jeune femme, qui remonte à plusieurs années ; tout comme pour Auguste. Ce motif rappelle l'histoire de Schéhérazade et du roi Shahriyar des *Mille et une nuits*, soit à la fois la trahison et la rédemption par une femme. La rencontre de Valentine et du vieux juge transformera effectivement leur existence respective. Le juge misanthrope recommencera à rêver, signe qu'il s'est réconcilié avec son passé et, en quelque sorte, avec sa partie féminine. Et grâce à Joseph, Valentine, dont la relation avec un homme lointain plafonnait, rencontrera le jeune Auguste, signe que sa relation avec les hommes et, d'une certaine manière, son rapport avec son animus se sont transformés.

La véritable rencontre est donc celle de Valentine et du jeune Auguste qui nous renvoie au vieux Joseph. Auguste laisse par exemple échapper un livre qui, en tombant, s'ouvre à la page exacte de la question qui lui sera posée lors de son examen final de droit, tout comme cela était arrivé à Joseph plusieurs années plus tôt. Outre le motif de la trahison, la lumière met aussi les personnages en relation. Lorsque Auguste revient chez lui en voiture après avoir surpris sa copine Karin avec un autre homme, il doit remplacer la batterie de sa voiture à cause de la faiblesse de l'intensité de ses phares. Comme par hasard, Joseph, dont la batterie de la voiture était à plat depuis un temps indéterminé, la remplace avant de se rendre au défilé de mode de Valentine.

Kieslowski nous suggère dans ce film que le processus d'individuation ne cesse pas. Lorsqu'il est bloqué, il recommence en tentant sa chance une nouvelle fois d'une manière différente, par le biais d'autres rencontres. Kieslowski suggère à sa façon que, même si le temps est irréversible et même si toutes les chances qui se présentent à nous sont uniques, des occasions de reprise s'offriront à nous. Il suggère qu'un ordre laisse sa trace derrière les apparences et que, au-delà de nos rendez-vous manqués, cet ordre nous fixera tôt ou tard un autre rendez-vous afin que nous puissions jouer notre rôle dans le grand film du monde.

Le sens

Après les questions ayant trait à la fonction sociale et au lien avec l'autre, celle du sens est la troisième grande question reliée à l'individuation. Une des premières façons dont nous pouvons l'aborder consiste à nous interroger sur le sens concret, c'est-à-dire la direction. Comme nous ne pourrons jamais revenir en arrière dans notre histoire, la question du sens est intimement liée à celle de la direction.

Sur le plan collectif, l'angoisse que nous ressentons à propos du sens résulte principalement de l'ignorance que nous avons au sujet de nos origines et de notre destinée. Les mythes des sociétés anciennes étaient d'ailleurs basés sur ces questions d'origine et de fin. «Dans quelle histoire arrivons-nous et comment se terminera-t-elle?» sont les deux questions posées par les grands mythes fondateurs, et ce, depuis la nuit des temps. Quant à l'individu, le sens de sa vie tient dans ce qu'il décide d'écrire au cours du petit espace de temps qui se situe entre sa date d'arrivée et sa date de départ. C'est dans l'intervalle étroit séparant les deux dates qui figureront sur notre pierre tombale que nous devons dire notre réplique. C'est dans cet intervalle que nous devons inventer notre histoire pour qu'elle ait un sens.

La question du sens concerne aussi notre utilité. Lorsque nous disons que notre vie n'a pas de sens, nous voulons généralement indiquer que nous avons l'impression de ne servir à rien. Au-delà des tâches que tout un chacun est tenu d'accomplir, la question de l'utilité nous renvoie à notre rôle dans la grande histoire du monde. De ce point de vue, la question du sens englobe les deux premières, soit celles de la fonction et du lien: quelle direction vais-je donner à ma vie pour la rendre signifiante, et avec qui?

D'où vient le sens?

Parmi les questions essentielles que nous pouvons nous poser au sujet du sens, il y a bien sûr celle de sa provenance. Existe-t-il un sens qui nous serait extérieur? Le scénario de notre vie est-il écrit par quelqu'un d'autre? Comme le suggère Kieslowski dans ses films, un autre ordre tente d'entrer en relation avec nous tout au long de notre histoire, et nous sommes libres d'en reconnaître ou non l'influence.

Dans *Les hasards nécessaires*, j'ai posé l'hypothèse que le sens est une impulsion émanant d'une totalité ; je voulais dire qu'il émerge d'une situation conflictuelle mettant en relation deux niveaux d'ordre différents et débouchant sur une nouvelle direction. Nous avons d'un côté le moi, qui fonctionne selon un certain niveau d'organisation et qui tente de donner un sens, un ordre au monde imprévisible ; mais d'un autre côté, nous disposons d'un niveau supérieur d'organisation, le Soi, qui inspire le moi et qui oriente notre histoire particulière. À l'aide du Soi, quelque chose essaie de se dire et nous tentons d'en décoder la signification. Selon cette conception, nous pouvons considérer la synchronicité comme un rendez-vous proposé au moi par le Soi, un rendez-vous susceptible de donner une nouvelle orientation à notre vie. C'est un des thèmes que Bernard Werber explore indirectement dans ses livres[53] quand il examine l'interaction entre deux niveaux d'organisation qui sont habituellement dissociés, mais qui se trouvent momentanément perturbés par un contact, une mise en relation. Le sens émerge lorsque deux niveaux se réorganisent spontanément. En thérapie, par exemple, le sens émerge lorsque la personne, en racontant son histoire, la voit soudain sous un autre angle, ce qui lui permet de mieux supporter une souffrance qu'elle ne peut changer de l'extérieur. Un nouveau sens émerge alors qui lui permet d'envisager le problème autrement et de prendre une nouvelle direction.

Dans la nature, le sens se traduit par une tendance à la complexification et à l'organisation du chaos apparent ; c'est ainsi qu'il se manifeste à nous. Le sens s'observe par la tendance de la vie à se frayer un chemin malgré tout ce qui peut lui bloquer la route. Nous observons le développement de cette complexité croissante parmi les fleurs et chez les animaux, mais aussi dans l'individu, le couple et la

53. Bernard WERBER, *Le jour des fourmis*, Paris, LGF-Livre de poche, 1995, et *L'empire des anges*, Paris, LGF-Livre de poche, 2001.

nation. Toutes ces entités ont un sens, c'est-à-dire une tendance à exprimer leur plein potentiel avant de s'éteindre.

Le travail de sens pour l'humain est une propriété aussi essentielle à son adaptation qu'une paire d'ailes à l'oiseau. Il semble qu'il fasse partie de ses facultés d'adaptation au monde, à défaut de quoi l'être humain sombre dans le désespoir. Sans la recherche de sens, nous sommes voués à ramper dans un réel qui nous écrase. Nous devons apprendre à nous servir du sens comme l'oiseau apprend par instinct à se servir de ses ailes pour s'envoler.

Chez l'humain, le processus de l'individuation, lorsqu'il n'est pas bloqué, se manifeste par une tendance à devenir soi en intégrant les dimensions animale et spirituelle d'une façon personnelle et créative. Le sens donne une nouvelle direction aux éléments qui étaient jusque-là opposés ; par exemple, la nature instinctive et la dimension spirituelle d'une personne trouvent à s'exprimer d'une manière nouvelle, unique et personnelle, l'amour entre un homme et une femme donne naissance à un troisième terme, ou encore un symptôme qui nous limitait devient l'occasion d'un apprentissage de la vie. Voilà des exemples d'un sens qui émerge à partir d'opposés et qui traduit l'existence et le mouvement d'un ordre caché.

L'essence cachée

Le sens prend son élan dans le mouvement secret qui existe derrière les choses visibles. Il est ce petit quelque chose qui n'est pas palpable, mais qui constitue l'élan même de la vie. Nous avons beau ignorer ces mouvements subtils, force nous est de constater que la plus grande partie de notre vie est invisible. Lorsque nous croisons des gens dans la rue, l'essentiel de leur histoire demeure caché, mais il opère. Même si cela relève d'un cliché, ce qu'il y a d'essentiel, c'est effectivement ce qui se trouve derrière les choses : tout un monde de rêves et de désirs qui conditionne secrètement chacun de nos mouvements. C'est dans cette arrière-scène de la psyché que s'enracine le sens d'une histoire, comme une pièce dans les coulisses du théâtre ou dans le plan hors-champ de la caméra de cinéma.

Le sens est une percée dans les événements, une brèche au-delà de ce qui est visible. Le défi que nous adresse le sens consiste à reconnaître ce petit quelque chose qui opère derrière ce qui est montré. Malheureusement, dans un monde sans profondeur où tout semble se réduire à ce qui est étalé sous nos yeux et montré, nous ne sommes plus à même de percevoir ce qui se trouve derrière les choses ; c'est alors que nous sommes le plus susceptibles de nous laisser inconsciemment manipuler par les minces fils invisibles qui tissent le monde, et de ressentir un profond vide de sens.

Le sens de notre vie est certes tributaire de nous, mais il relève aussi de ce quelque chose œuvrant en deçà et au-delà de notre conscience. Lorsqu'on sait le nombre de personnes qui contribuent à la réalisation d'un film, comment prétendre qu'une seule personne l'a réalisé ? Parallèlement, je ne peux croire que le sens d'une histoire humaine repose sur le seul sens égoïste que lui donne la personne et que cette histoire n'ait pas de liens avec la grande histoire qui nous dépasse et qui tente de faire de nous des sujets.

Lorsque la question n'a plus de sens

La question du sens génère des conflits importants lorsqu'elle est abordée uniquement sous l'angle de la réponse. « Les questions unissent et les réponses divisent », a dit à juste titre Éric-Emmanuel Schmitt. Le fanatisme religieux est un bon exemple de blocage du processus de sens. Les questions qui ont trait au sens n'appellent jamais de réponses définitives. Elles s'apparentent à des « peut-être » qui permettent au sens de préserver toute la richesse de son mouvement perpétuel. Rappelons-nous, en effet, que le sens est une direction, un mouvement, et non une destination. À ce sujet, j'aime bien la pensée du cinéaste Denys Arcand disant que « l'incertitude est le lieu par excellence de l'intelligence ». Pour aborder intelligemment la question du sens, il faut rester du côté des hypothèses et des peut-être. Les réponses définitives interrompent le mouvement de la vie, elles bloquent l'élan essentiel qui nous porte.

Le blocage est aussi perceptible chez les personnes qui veulent à tout prix trouver un sens définitif aux synchronicités, par exemple; leur quête devient obsessionnelle. Aux questions essentielles de l'individuation, celles qui concernent la synchronicité comme les autres, il faut répondre par un mouvement. Le sens interroge et nous oblige à pousser notre questionnement plus avant: qu'est-ce que cela veut dire? Pour en arriver à quoi? Lorsqu'une personne donnée est placée devant une situation inattendue, le processus d'individuation invite à chercher la question essentielle qui anime cette personne et qui contient déjà le germe de la réponse; c'est de cette manière seulement que nous restons en contact avec la personne et avec le sens original que la situation inattendue revêt pour elle.

Pour illustrer ce qu'il en est de la question essentielle qui habite chacun d'entre nous et qui nourrit l'individuation, j'aime bien imaginer la situation hypothétique suivante: vous rencontrez Dieu et vous avez la possibilité de lui poser une seule question. Vous êtes devant une source de connaissance et de sagesse infinies, mais vous devez, tel le chevalier devant le gardien du Graal, poser *la* bonne question. Quelle serait votre question? Il n'est pas facile de déterminer sa question essentielle, mais il paraît que, lorsque nous avons plus d'une question, c'est qu'en réalité nous n'en avons aucune. Autrement dit, le sens est toujours unique même si les chemins qu'il emprunte peuvent être multiples.

Les otages de Dieu

C'est lorsque la question du sens prend la voie de croyances auxquelles nous nous accrochons que nous sommes susceptibles de devenir ce qu'il serait convenu d'appeler un otage de Dieu. À cet égard, certains terroristes intégristes sont en bonne partie des otages de Dieu. Ils ont recours à la peur pour imposer leurs croyances, ils prennent en otage et tuent de malheureuses victimes, mais en réalité ne sont-ils pas aussi de véritables prisonniers de l'idéologie qui les domine? Et au-delà des intégristes, les plus grands otages de Dieu ne vivent-ils pas tout près de nous – dans nos démocraties mêmes, où ils entretiennent la peur?

Le sens ne signifie pas s'accrocher à une croyance, mais plutôt abandonner quelque chose, y renoncer. Faire un acte de foi, c'est plonger dans l'inconnu, c'est avoir confiance en quelque chose qui nous dépasse, peu importe le nom qu'on lui donne. En psychothérapie, c'est avoir foi dans le processus naturel de guérison de la psyché. Dans l'écriture d'une histoire ou dans la réalisation d'une vie, c'est faire confiance à l'inconscient, car quelque chose nous dépasse toujours dans le processus de création. La plupart des réalisateurs ou des écrivains sont d'accord pour dire qu'à un certain moment de leur travail quelque chose que l'on peut difficilement nommer prend la relève et écrit pour eux.

Le Soi

Dans la perspective jungienne, cet élan créateur est un archétype, il s'agit du *Soi*. Depuis la nuit des temps, les êtres humains se sont posé des questions à propos du sens de la vie. Ce sont les fragments de réponses qu'ils y ont apportés qui composent les images produites par le Soi. Précédemment, je parlais d'un niveau supérieur d'organisation influençant le moi : il s'agit du Soi. Le Soi est peut-être une illusion, mais une illusion nécessaire comme les images de films qui n'existent pas, mais qui nous inspirent. Le Soi est une hypothèse dont on ne pourra jamais faire la preuve empiriquement, mais il constitue une conjecture féconde au sens où il permet de se figurer un contrepoids agissant vis-à-vis du moi comme un levier et qui permet au moi de se situer.

Le Soi est à la fois le but et le moyen de l'individuation. Alors que le moi est le centre de la conscience, le Soi est à la fois le centre de l'inconscient et du conscient. Il est l'archétype du sens et de la totalité qui tente d'unifier les contraires tout au long de l'individuation. La question fondamentale du Soi pourrait se résumer ainsi : comment être le plus *complet* possible ?, alors que cette même question, pervertie par le moi, pourrait-on dire, serait : comment être le plus *parfait* possible ? Dans la découverte par chacun de son mythe personnel et du vaste labyrinthe de sa vie, être en route vers le Soi signifie suivre le mince fil qui se cache derrière les apparences et donne son unité à sa vie. La souffrance peut être vue comme l'effet d'un écart, d'une coupure momentanée d'avec ce fil, et le vide de sens comme la résultante de la fragmentation de notre histoire. Selon Jung, ce serait justement durant les périodes de grande noirceur, de dépression et de crise, que nous traversons bien souvent autour de la quarantaine, que les questions du Soi se font plus persistantes et que l'individuation prend un nouveau sens, une direction autre, qui tente de s'harmoniser avec notre élan original.

Comment est-ce que je me relie au monde?

À mon sens, l'art et la beauté sont les plus belles façons d'habiller les questions du Soi. Seule une œuvre d'art peut permettre à deux ennemis de devenir momentanément frères, comme Polanski le montre dans *Le pianiste*. Dans ce film magnifique, nous assistons à une scène particulièrement touchante dans laquelle le personnage principal, un juif, pianiste virtuose, doit jouer une pièce de Beethoven à un soldat nazi qui, en échange, lui épargnera la vie.

Les artistes sont les ambassadeurs du Soi et ouvrent la voie aux autres archétypes. Ils plongent au cœur de l'inconscient, touchent à l'essentiel et tirent les ficelles des archétypes pour notre plus grand bonheur. Par leur travail artistique, ils nous donnent les moyens de faire des liens dans notre propre histoire, un peu comme lorsque nous relions un livre en un tout. Un artiste qui nous atteint est une personne qui nous aide à tisser quelque chose autour de notre propre question personnelle, et à donner une direction, un sens à nos contradictions. Un artiste fouille l'inconscient afin de nous transmettre les idées essentielles dont nous avons besoin pour trouver notre chemin.

L'influence du « gars des vues »

Comme nous l'avons vu précédemment, le Soi, au cinéma, est symbolisé par le réalisateur. Il constitue le niveau d'organisation supérieur qui laisse sa trace invisible dans un récit. S'exercer à percevoir l'influence du gars des vues dans une histoire, c'est s'exercer à percevoir et à décoder ce qui se cache derrière les apparences de notre propre histoire. Derrière chacun de nos gestes existe une tentative d'expression dont l'originalité nous échappe, une tentative d'expression du Soi qui peut être bloquée par la personnalité. C'est cette dimension qui nous pousse à répéter les mêmes scènes dans le film de notre vie, jusqu'à ce que nous ayons compris et que nous puissions passer à une nouvelle scène. Lorsque nous «ratons» une scène importante, le Soi replace sur notre route de nouvelles occasions d'apprentissage. C'est ce que suggère le cinéma de Kieslowski.

En Occident, nous avons évacué une bonne partie des images du Soi en renonçant à la vie religieuse. Nous avons remplacé Dieu par un ordinateur ou par de l'argent. Dans une société qui privilégie la consommation, l'élan de totalité du Soi et les images qu'il produit spontanément sont pervertis par le besoin d'en vouloir toujours plus. Toutes les images que nous percevons ont des intentions cachées. Qu'il s'agisse des images véhiculées par la télévision, le cinéma, Internet, toutes ont été créées par un gars des vues qui avait une intention. À ce propos, s'occuper du sens, c'est se questionner sur l'origine et la destination des images qui traversent nos écrans: qu'est-ce que le réalisateur a voulu dire en plaçant son personnage dans tel décor? Quel effet cette image a-t-elle sur moi? Pourquoi cette publicité nous invite-t-elle à consommer tel produit afin de calmer notre anxiété?

L'essence même du travail de psychologue est d'inviter le client à faire des liens avec ce qu'il y a derrière ce qui apparaît. Au cours de ma jeune carrière de psychologue, je ne crois pas avoir changé la vie de quiconque. Par contre, je crois qu'une psychothérapie ou un travail sur les œuvres qui nous ont marqués peut nous aider à développer notre capacité à mieux percevoir ce qui se cache derrière ce qui est montré, à mieux connaître et raconter notre propre histoire, à découvrir le centre organisateur que constitue le Soi et à libérer ainsi notre créativité. La psychothérapie, comme la rencontre avec une œuvre, doit permettre d'atteindre un point de vue plus vaste que celui du petit moi. Un peu comme le disait la chanteuse Ariane Moffatt: «La musique est quelque chose qui doit toujours demeurer plus grand que l'artiste.»

La musique d'une vie

J'ai toujours été profondément touché par la musique de film. Une foule d'images de jeunesse me reviennent en tête lorsque j'écoute la musique des films et des émissions de mon enfance. Ce que le réalisateur n'a pu dire avec des images, la trame sonore prend la relève pour l'exprimer. La musique d'un film s'adresse donc directement à l'inconscient de la personne. Tentez l'expérience : regardez un film d'horreur sans la trame sonore et vous constaterez la différence...

Comme chaque vie humaine, toute histoire a un thème, un motif qui se développe autour des points clés constituant l'univers d'une personne. La musique sert à accentuer un événement, à en souligner l'importance émotive. Les thèmes mis en musique dans un film, comme les thèmes de vies humaines, sont des atmosphères installées autour des choses. Ils les enveloppent, leur donnent un contour, une spécificité qui ne peut être exprimée par des mots. Dans le film de notre vie, c'est un peu le même phénomène : quelque chose survient qui est entouré d'une aura émotive et nous amène à réfléchir ; comme si nous greffions sur cet événement une musique qui nous est propre.

Par extension, nous sommes nous aussi un thème dans la grande partition du monde. Sans notre musique, le monde serait un film muet. Notre musique originale donne de la profondeur au grand film du monde. D'où l'importance que chacun trouve sa partition originale et joue chacune de ses notes le plus honnêtement possible, comme si c'était la première et la dernière fois que ces notes étaient jouées.

Vivre sa vie en *surround*

J'aime beaucoup cette expression très imagée de la comédienne québécoise Julie McClemens, qui disait vivre sa vie en *surround*, c'est-à-dire en tentant d'écouter le monde avec le plus d'attention possible pour en percevoir la profondeur. Ainsi, tout comme il est des gens qui sont les locataires d'eux-mêmes et qui n'habitent pas réellement leur existence, il est à l'inverse, des gens qui habitent pleinement leur vie et qui emplissent leur espace. Métaphoriquement, on pourrait dire que les premiers vivent en *mono*, uniquement centrés sur leur moi ; que ceux qui s'ouvrent à leurs proches vivent en *stéréo* ; et que ceux qui se préoccupent de leur époque évoluent dans un environnement en *surround*. Nous sommes tous les témoins de notre époque – mais jusqu'à quel niveau de profondeur écoutons-nous le monde? Quelle partie de notre environnement habitons-nous?

Le défi du sens dans le quotidien

Le sens n'est pas qu'une préoccupation métaphysique. Aborder la question du sens, c'est concilier l'infiniment essentiel et l'infiniment banal ; c'est relier les questions existentielles du Soi à celles plus terre-à-terre du moi, c'est donner un sens personnel aux grandes questions universelles. En cela, un bon film doit permettre de réconcilier les deux mondes : les questions essentielles du Soi et les préoccupations quotidiennes du moi. Les bons films nous remuent, nous chavirent jusque dans notre corps. Comme je le mentionnais en traitant de la confusion entre le moyen et le but dans l'univers de *La matrice*, perdre le sens, c'est aussi perdre le contact avec nos sens, avec ce qui nous relie au monde. La technologie que nous mettons entre nous et le monde crée une désensibilisation. La crise du sens aujourd'hui est peut-être aussi une crise des sens. Nos instincts nous apparaissent étrangers à nous-mêmes, nous les étouffons par les boucliers chimiques de la surmédication, et nos animaux familiers nous font peur. La grippe du poulet et la crise de la vache folle ne sont-elles pas autant d'expression de notre angoisse née de la coupure entre l'instinct et l'homme? Le sens qui résulte avant tout de l'expérience que chacun fait de son mythe personnel s'enracine dans l'histoire animale, dans l'instinct. La scène où Valentine, dans *Rouge*, part à la recherche du chien qui va la conduire dans une église est une belle illustration de ce double aspect.

L'*Histoire de Pi*

Yann Martel, dans son roman *Histoire de Pi*[54], a justement mis ensemble ces deux dimensions apparemment opposées. Il a ainsi opéré un rapprochement entre le monde animal et le monde religieux. L'être humain est un animal, mais un animal narratif. Il puise sa liberté dans le rêve, mais il a aussi besoin d'être encadré, d'où le paradoxe de la cage et de l'enfermement auquel en vient l'auteur lorsqu'il aborde le thème du jardin zoologique et de la religion. Une des plus grandes prisons, nous dit-il, consiste à confondre les vérités symboliques avec les vérités factuelles. Les deux ont besoin d'exister pour que la vie ait un sens. Alors que notre vie dépend principalement de vérités esthétiques et symboliques, nous recherchons de manière obsessive des vérités objectives, ce qui contribue à nous limiter. Bien souvent, notre religion, c'est la science. Non que l'activité scientifique n'importe pas, mais elle n'acquiert son sens juste que si elle est conçue en regard d'une autre quête, celle du sens.

Dieu se cache dans notre imaginaire, nous dit l'auteur. Il y a quelque chose de solide dans notre imaginaire, dit Jung, qui peut nous orienter dans notre cheminement personnel. Rêver intelligemment, c'est aussi accrocher des mousquetons sur la montagne de la vie. Ainsi, parce que nous sommes des animaux narratifs, l'histoire que nous nous racontons sur nous-mêmes est tout aussi vraie et tout aussi déterminante que l'histoire de nos molécules…

Les synchronicités culturelles

Curieusement, la version originale de *Histoire de Pi,* qui connaît un succès international, est sortie le 11 septembre 2001. Voilà un bon exemple de ce type de récits qui émergent dans notre culture à des moments clés et qui nous aident à reprendre contact avec une forme de transcendance. Tout comme certaines œuvres surgissent aussi dans notre histoire à des moments clés. Il s'agit de ces œuvres qui laissent

54. Yann MARTEL, *Histoire de Pi*, Montréal, XYZ, 2003.

des traces, de ces films qui créent des avants et des après dans notre roman personnel. Nous avons besoin d'être secoués par une œuvre afin de prendre position et de trouver un nouvel équilibre. Les œuvres qui nous bouleversent nous poussent ainsi à retrouver un nouveau sens. Cerner les bifurcations qui ont été associées à des œuvres marquantes est l'une des meilleures façons de suivre la trace du sens dans une vie humaine. La *synchronicité culturelle* est une synchronicité qui se vit autour d'une œuvre, elle bouscule le sens de notre histoire et nous fait bifurquer vers ailleurs. Pour qu'il y ait synchronicité culturelle, l'œuvre doit faire écho à ce que nous vivons et déclencher en nous une forte réaction émotive qui nous transporte et crée un avant et un après. En ce qui me concerne, tous les films que j'ai abordés au début des chapitres de ce livre ont créé cet avant et cet après.

Pour Lisa, dont le compagnon s'est noyé dans une rivière, *La turbulence des fluides*, un film de Manon Briand, a eu ce caractère synchronistique. Lisa ne connaissait aucunement le scénario du film et s'est rendue au cinéma sur l'invitation d'une amie. Elle a été bouleversée par la fin du film, qui est une scène de noyade. Cette scène a eu pour elle l'effet d'une catharsis parce qu'elle lui a permis d'exprimer toute la peine qu'elle avait ressentie lors de la noyade de son compagnon de vie, mais qu'elle n'avait jamais été capable d'exprimer. Après le film, elle s'est sentie en état de flottement. Par la suite, elle s'est rendu compte qu'elle pouvait dorénavant aborder la mort de son copain sans fondre en larmes. Ce film a ainsi créé un avant et un après dans son processus de deuil ; il a contribué à la libérer du chagrin qui l'écrasait.

La synchronicité culturelle comporte les quatre grandes caractéristiques de la synchronicité en général, soit :

- une coïncidence chargée de sens – le film fait écho, par exemple, à un événement important que nous avons vécu à un moment précis de notre vie ;
- la libération d'une très grande charge émotionnelle – nous sommes fascinés, déstabilisés, bouleversés, pendant plusieurs jours après avoir vu le film ;
- le témoignage de transformations profondes et d'un changement de chapitre dans notre histoire – cela se

traduit, par exemple, par un nouvel emploi, une rencontre amoureuse, la fin d'un deuil, etc. ;
- l'apparition au cours d'une période de grand questionnement – celle-ci étant suscitée par une situation qui nous apparaissait sans issue avant que nous voyions le film.

Bien que d'autres raisons inconscientes peuvent faire que nous soyons fascinés et déstabilisés par celle-ci, toute œuvre qui présente ces caractéristiques risque d'être une œuvre de type synchronistique. L'œuvre synchronistique peut avoir, comme tout événement synchronistique en général, l'une ou l'autre des quatre *fonctions* essentielles suivantes :

- nous initier, c'est-à-dire nous faire passer à quelque chose d'autre dans notre vie – elle nous introduit à une connaissance essentielle ;
- nous confirmer que nous sommes sur la bonne voie dans l'individuation – tel film nous conforte dans une décision que nous avons prise, par exemple ;
- nous inviter au changement, au sens où une œuvre peut nous mettre en contact avec les facettes de notre ombre et nous suggérer d'adopter une nouvelle attitude dans la vie – elle nous propose une option au choix de vie que nous avions fait ;
- nous sensibiliser à une nouvelle forme de spiritualité et de transcendance – telle est la principale fonction de la synchronicité, qui nous donne l'occasion de donner un sens à notre vie d'une façon toute personnelle sans que nous ayons besoin de recourir à un système religieux organisé.

La vie est bien plus riche lorsqu'elle inclut la transcendance. La beauté, tout comme la synchronicité, porte les traces du Soi ; c'est justement ce que Kieslowski cherchait dans ses films. La synchronicité vécue autour des œuvres est donc un excellent moyen de retrouver le mince fil du Soi et de donner de la profondeur à notre histoire.

Donnons du temps au temps

La synchronicité est liée au temps du processus d'individuation: à quel moment de ma vie vois-je ce film qui me bouleverse? Quel avant et quel après crée-t-il dans mon histoire? Admettre qu'un sens puisse chercher à nous atteindre, c'est en effet admettre aussi qu'un temps existe en dehors de nous. Nous ne pouvons parler du processus d'individuation comme d'un processus chronologique linéaire impliquant des étapes définies. Il se compare plutôt à l'écriture d'une histoire qui se déroule par changement spontané de palier, impliquant de l'*insight*, voire un éclair de génie ou un eurêka! du chercheur.

Comme dans tout acte de création, que ce soit d'une œuvre ou d'une vie, il faut donner du temps au temps et épouser ce temps. L'individuation a aussi besoin de temps et, surtout, d'une qualité de temps. Dominique de Villepin, lors de son vibrant discours du 14 février 2003 aux Nations unies, a bien distingué et symbolisé deux conceptions du temps: le temps quantitatif, linéaire, et le temps qualitatif, cyclique. Replaçant le conflit en Irak dans son contexte historique, il a repris l'adage «Donnons du temps au temps» pour comparer la «jeune» Amérique, qui voulait agir rapidement, et la «vieille» Europe, qui prônait de laisser le temps faire son travail et de poursuivre les inspections de l'ONU. Le temps de la synchronicité s'inscrit dans la conception d'un temps cyclique voulant qu'il existe des cycles et des saisons dans tout processus de vie, que ceux-ci sont nécessaires et que chaque chose vient en son temps à condition que l'on attende le moment propice.

Vieillir...

Les vies humaines sont ponctuées de saisons et, bien sûr, le processus d'individuation nous dirige progressivement vers l'automne de notre vie: la vieillesse. Une vieillesse qui a peut-être justement perdu de son sens dans un monde «où rien n'est plus vieux que le journal d'hier», comme disait Paul Valéry. Alors que j'étais au printemps de ma vie et que je travaillais à Tel-Aide, je reçus des appels particulièrement touchants de personnes âgées qui me racontaient leurs vies. Écouter les histoires de ces gens était un enseignement très riche pour moi, cela donnait du sens, une profondeur à ma propre vie. J'ai réalisé que plus que jamais, à cet âge, la personne humaine a besoin de raconter l'histoire de sa vie. La vieillesse a besoin d'un lieu pour se vivre, sans quoi elle n'est que solitude et repli sur soi. Sans une parole et un lieu pour se raconter, la vieillesse est un cul-de-sac. Lorsqu'il lui est permis de raconter la longue histoire d'une vie, elle se révèle au contraire d'une richesse inépuisable. Sophocle a tout de même écrit son magistral *Œdipe* à 80 ans!

L'iris et le Soi

«Mourir, la belle affaire, mais vieillir...», chantait Jacques Brel. Pour qui que ce soit, la perspective de voir son corps dépérir est profondément angoissante. Le déclin de notre pouvoir de séduction, la décrépitude de notre corps ne sont pas très agréables à envisager.

L'écrivain Robert Jasmin, à l'occasion d'une conversation, me faisait remarquer un jour que la seule partie du corps qui ne vieillit pas en apparence, c'est notre iris. Nos cheveux, notre visage, notre peau, tout se transforme avec l'âge, à l'exception de l'iris de nos yeux. L'iris que vous voyez dans votre glace actuellement est le même que celui qui apparaissait quand vous étiez enfant et le même qui fixera l'éternité à votre mort. Notre iris est aussi l'un des symboles de notre permanence et de notre unicité, car, telles nos empreintes digitales, il ne ressemble à aucun autre. Le Musée de l'Élysée, à Lausanne, a d'ailleurs publié dans l'un de ses cahiers une très belle série de photos de l'iris de grands hommes, qui nous les montrent comme des mandalas, soit des symboles représentant le Soi. Le Soi est un centre permanent dans la psyché, un peu comme l'iris de l'œil pour le corps. Un centre qui transcende le temps, un point stable au travers des grandes perturbations qui ponctuent l'histoire humaine.

Regarder le monde avec cet iris unique et permanent, autrement dit percevoir le monde par ce centre de la psyché qu'est le Soi, c'est saisir ce qui est essentiel et permanent derrière ce qui nous apparaît éphémère et futile.

Le film de sa vie

Il paraît qu'au seuil de la mort nous revoyons le film de notre vie. Quel regard porterons-nous alors sur notre histoire? Quelles critiques réserverons-nous à ce film? Il est en effet triste de quitter le monde avant la fin de l'histoire, mais c'est peut-être parce que nous avons conscience de notre fin que notre appétit de vivre peut émerger. C'est grâce à la mort, cette fin inéluctable, que nous cherchons le sens. C'est le non-sens de la mort qui appelle le sens de la vie. La mort, paradoxalement, nous rassemble, car nous la connaîtrons tous un jour; elle est notre point de ralliement à l'essentiel. Devant la mort, l'angoisse provoquée par le ballottage d'une vedette de *Loft Story* perd tout sens.

Chacun de nous se souvient du 11 septembre 2001 : de l'endroit où il était, et de ce qu'il faisait lorsque l'écrasement des deux tours a été diffusé. Ce jour-là, s'est posée à nous, d'une manière ou d'une autre, la question de notre propre mort. Pour ma part, j'ai réellement frôlé la mort, car j'escaladais témérairement une falaise dans la baie des Traîtres sur la petite île de Hiva Oha aux Marquises. Après avoir passé plusieurs heures contre une paroi rocheuse, prisonnier du vide, sans pouvoir monter ni descendre, j'ai réalisé non pas avec ma tête, mais avec mes tripes, à quel point ma vie était fragile. Un seul faux pas et je m'écrasais sur les rochers quelques centaines de mètres plus bas. Sur la partie sauvage de ce caillou perdu en plein milieu du Pacifique, il est probable que personne ne m'aurait retrouvé. Dans un moment de désespoir, alors que j'étais sur le point de lâcher prise, j'ai eu l'intuition de jeter mon sac à dos pour m'alléger et me libérer les mains, afin de gratter le sol pour créer un petit sentier qui me permettrait de redescendre sur la grève. J'étais encore sous le choc de cette expérience quand j'ai appris, quelques heures plus tard, dans un petit bistro de l'île, la terrible nouvelle des attentats. Mon expérience personnelle de la mort rejoignit ce jour-là l'expérience collective.

J'ai alors pris conscience que je n'existerais pas toujours. J'ai donc décidé qu'à partir de ce moment-là je vivrais ma vie pleinement et j'irais au bout de mes rêves. C'est peut-être uniquement lorsque nous sommes face à de grandes catastrophes, tant personnelles que collectives, que nous pouvons prendre réellement conscience des choses essentielles. Comme le dit le metteur en scène québécois Wajdi Mouawad, après les événements du 11 septembre, il nous fallut parler en ayant conscience de la mort. C'est parce que nous savons que nous ne pouvons revenir en arrière que nous avançons. C'est parce que nous avons conscience de la fin de notre histoire que celle-ci peut avoir un sens. Vivre une vie éternellement serait profondément insignifiant.

« L'éternité, c'est long, surtout vers la fin », disait Woody Allen. Bien que certains puissent fantasmer sur l'idée de se faire cloner par des extraterrestres pour connaître la vie éternelle et dîner quotidiennement avec Cléopâtre et Elvis Presley, la réalité est que notre histoire aura une fin. Nous savons que nous ne sommes pas éternels. La conscience est le fruit d'une longue évolution qui est probablement unique à l'homme et à laquelle nous devons accorder un soin particulier. Dans un monde où la mort nous est présentée comme un spectacle, dans une société où nous vivons bien souvent avec l'illusion d'être omnipotents, la conscience de la mort est un repère précieux. Elle constitue peut-être le dernier bastion qui nous garde du côté de ce que nous pouvons encore appeler l'humanité.

Pour mieux mourir

Les questions qui se sont posées à nos ancêtres, et qu'ils ont laissées en suspens, reviennent dans notre histoire. Et à notre tour, à notre mort, nous laisserons aux autres une partie de notre histoire avec notre lot de questions sans réponse, un peu comme le personnage de Rémy dans *Les invasions barbares* : il laisse à son fils la question qu'il n'a pas résolue, celle des relations avec les femmes, une question que celui-ci devra se poser, notamment à la fin du film, lorsqu'il se retrouve avec Nathalie dans la bibliothèque.

Mais nous ne laissons pas que des questions. Lorsque l'individuation a lieu, nous laissons une trace, un peu comme une œuvre laisse une trace dans la mémoire de ceux qui la découvrent. Comme dans la très touchante scène finale du film *La légende du gros poisson* de Tim Burton, notre histoire nous survivra après notre dernier souffle. Nous existerons dans le souvenir de nos proches et deviendrons à notre tour une histoire qui sera racontée à nos petits-enfants et à nos amis.

Certes, la mort est encore un sujet tabou. Et nous disposons de moins en moins du soutien de la religion pour nous aider à traverser cette épreuve. Dorénavant, il nous faudra peut-être nous tourner du côté de nos proches et de l'art pour aborder cette épreuve ultime. L'ami, « ce complice qui nous aide à nous emparer du monde », disait Francesco Alberoni, est certainement un allié universel devant cette menace pour l'identité, cette grande invasion barbare que représente la mort. « Faire des films, c'est une façon agréable d'attendre la mort », disait, quant à lui, Denys Arcand en entrevue. C'est possiblement le rôle essentiel de l'art que de nous accompagner, tel un ami, au-devant de cette épreuve inévitable. C'est un des rôles essentiels d'un bon film que de nous aider à vivre, et peut-être aussi à mourir, un peu mieux chaque jour…

CHAPITRE 7

Devenons ce que nous sommes

La pierre n'a point d'espoir d'être autre chose que pierre.
Mais de collaborer, elle s'assemble et devient temple.

ANTOINE DE SAINT-EXUPÉRY

L'univers de chacun est universel.

EUGÈNE IONESCO

Au terme de chaque parcours héroïque s'impose cette phase essentielle qui est celle du retour dans la communauté d'origine. Cette étape est universelle. Que l'on pense à Ulysse et à son voyage de retour vers Ithaque ou encore à Frodon, qui revint dans son village natal des Hobbits après sa quête. Ce qui distingue le héros de ses rivaux, toutefois, c'est qu'à l'issue de son périple il offre à la collectivité le fruit de son apprentissage : de retour, il utilise ses dons pour le bien de tous. Ce thème m'apparaît essentiel dans le cadre de la fin de ce livre, car nous assistons actuellement à un déclin des civilisations occidentales, en partie à cause d'un individualisme qui prône le profit et le bonheur personnel comme étant pratiquement les seules valeurs désirables.

C'était d'ailleurs l'une des idées centrales du film *Le déclin de l'empire américain*, de Denys Arcand, idée très habilement mise en image par un long crépuscule s'étirant du début à la fin du long métrage. Dans ce film, le personnage de Dominique Saint-Arnaud, historienne, pose ainsi la question paradoxale: «La volonté exacerbée de bonheur individuel que nous observons dans notre société n'est-elle pas historiquement liée au déclin de l'empire américain?» Pour poser la question autrement: un équilibre social ne misant que sur la gratification instantanée des individus n'est-il pas d'emblée perturbé?

Dans *Les invasions barbares*, Rémy, l'un des personnages de la joyeuse bande d'intellectuels épicuriens qui s'amusaient, par le passé, à converser dans un chalet des Cantons-de-l'Est au Québec, souffre d'un cancer. Il est en phase terminale. Il aborde cette épreuve entouré de ses amis, de son ex-femme et de son fils, et il revient mourir dans ce même chalet, celui de son ami Pierre, car il a le sentiment d'y être vraiment chez lui. Les thèmes de la maison et de la fraternité sont les deux remparts qui, dans ce film, sont opposés aux invasions dites barbares d'une société en déclin. Rémy, aux portes de la mort, fait alors le bilan de sa vie. Il se heurte notamment au barbare que représente pour lui son fils, Sébastien, devenu financier chez MacDougall-Deutsch à Londres. Deux générations qui s'opposent, mais qui devront apprendre à se réconcilier.

Le barbare

Un barbare est essentiellement quelqu'un qui ne parle pas le même langage que soi. Pour les Romains, il s'agissait de tous ceux qui vivaient à l'extérieur de l'Empire. Le barbare représente donc l'énergie de l'altérité, voire de l'adversité, qui menace la fratrie et le lieu où l'on habite, mais qui menace surtout la culture. En ce sens, la définition du *Petit Robert* présente le barbare comme un être inculte, incapable d'apprécier les beautés de l'art. Psychologiquement, le barbare évoque tout ce qui menace le confortable creuset de nos valeurs. Sébastien incarne ce barbare pour son père, au sens où il est un être associé à la jeunesse issue de l'ère de «l'idiot visuel», comme il avait déjà été dit dans *Le déclin de l'empire américain*, et au sens où il parle le langage du profit. Pour le fils, le barbare est son père, qui parle le langage des livres et de la tradition, mais il est surtout celui qui incarne l'absence. Rémy a ainsi le sentiment de se trouver devant un barbare lorsqu'il voit qu'il a engendré un fils à la mentalité capitaliste qui a déserté sa terre natale. Peut-être devons-nous comprendre ici que, d'un point de vue social, le père représente la génération des *baby-boomers* condamnant une jeunesse mue par un individualisme perfide et oubliant toute forme de tradition. Cette idée est d'ailleurs illustrée par la scène où d'anciens étudiants de Rémy acceptent l'argent de son fils pour se rendre à son chevet et témoigner d'une fausse reconnaissance à son endroit.

Mais Rémy doit aussi faire face au barbare qui vit en lui lorsqu'il regarde la vie qu'il a menée et se rend compte qu'elle ne pourra plus jamais être. Un peu à l'image du mode de vie d'un intellectuel qui parle sans agir, sa façon de vivre était en effet principalement axée sur les plaisirs personnels. Or, l'approche de la mort l'oblige à présent à y renoncer. Le personnage de Nathalie, interprété de façon magistrale par Marie-Josée Croze, l'incite à réfléchir sur cette ancienne vie qui lui est maintenant devenue étrangère.

De plus, Rémy a conscience que son pouvoir de séduction a largement décliné, si bien qu'il doit à présent trouver de nouveaux moteurs de sens afin d'affronter l'invasion suprême de la vie : la mort. Quel sens donner à sa vie lorsqu'il voit défiler, au chevet de son lit d'hôpital, d'anciennes amantes et maîtresses qui lui en veulent ? Sans compter son fils, qui le réprimande parce qu'il ne s'est jamais réellement intéressé à ce qu'il faisait. Quel sens donner à sa vie alors que, professeur d'histoire, il a toujours rêvé secrètement d'écrire un livre qu'il n'a jamais écrit ? Comment trouver ce sens qui l'obsède tandis qu'il se trouve dans l'ambulance avec son fils ?

Alors qu'il repose dans l'inconfort d'une chambre d'hôpital encombrée où se succèdent des infirmières surchargées, il décide de retourner au lieu d'origine, soit le chalet où il passait ses vacances en compagnie de ses amis. Et c'est en prenant le chemin de la maison de vacances, symbolisant la consolidation du lien de fraternité, qu'il trouvera une partie du sens qu'il recherche.

La fraternité et la transmission

La maison va ainsi de pair avec l'idée de fraternité. Être enfin chez soi signifie trouver cet espace qui nous permet d'être ce que nous sommes et de le partager. C'est ce que représente à mes yeux la maison de Pierre pour Rémy et le retour de ce dernier en ces lieux. La maison symbolise aussi un espace sacré où l'être peut mourir paisiblement. Toute notre vie, nous cherchons notre place dans ce monde, et l'endroit où nous viendra notre dernier souffle se doit d'être accueillant. Les hôpitaux deviennent malheureusement des lieux de plus en plus barbares et de moins en moins convenables pour mourir. La recherche d'un endroit paisible où mourir, c'est aussi, psychologiquement, la recherche d'une harmonie avec son passé. Avec la mort se pose en effet la question essentielle de la transmission : que voulons-nous laisser aux autres à notre mort? De quoi aimerions-nous qu'ils se souviennent à propos de notre passage sur terre?

Voilà probablement les questions que se pose secrètement Rémy. Avec la découverte de sa mission se pose à lui la question de la «trans» mission, c'est-à-dire de ce qui restera de lui aux autres membres de la communauté. La transmission est l'un des enjeux de la question du sens qui caractérise la deuxième portion de la vie. L'individuation ne peut pas en effet être que personnelle, elle doit aussi inclure une partie de transmission, c'est-à-dire une mission qui va au-delà de notre génération. La principale façon d'assurer cette transmission réside bien sûr dans la reproduction. Or qu'en est-il aujourd'hui de l'instinct de reproduction? Les gens de ma génération ont été conditionnés à associer la mise au monde d'un enfant avec la question de l'argent. Comment l'instinct de conservation a-t-il pu ainsi se retrouver mis en tutelle par des préoccupations uniquement financières? Peut-être devrions-nous revoir notre conception de la création de la vie et remplacer le terme «avoir» des enfants par le terme «recevoir» un enfant. La question financière n'est peut-être qu'un paravent propre à masquer notre peur réelle de transmettre. Il se peut qu'un autre type d'obstacle bloque l'instinct de reproduction, tel le peu d'amour-propre du personnage de Pierre, interprété par Pierre Curzi, le propriétaire du chalet, qui fonde finalement une famille dans le deuxième film.

Par ailleurs, transmettre, c'est aussi communiquer ce que nous avons appris, comme le fait le héros au terme de sa quête, afin d'enrichir la culture de la communauté. Nous avons le devoir de transmettre, comme le dit l'expression suivante: «Si tu ne sais pas, demande; si tu sais, partage.» Nous sommes les témoins de notre époque, nous participons au mythe de notre temps. En nous individuant, en nous affranchissant de nos propres invasions barbares, nous contribuons aussi à ce que la société devienne ce qu'elle est, pour reprendre l'idée de Pindare.

Le rêve d'habiter notre terre natale, de préserver notre culture est-il encore réalisable au Québec? La fin du film d'Arcand est empreinte de nostalgie. Rémy est un professeur d'histoire qui, en faisant le bilan de tous ses «istes» – séparatiste, indépendantiste, souverainiste, souverainiste-associationniste, etc. – constate que l'inaction qui l'a caractérisé durant toute sa vie ne lui a bien sûr pas permis d'offrir une société plus libre à ses enfants. En apparence parfaitement autonome et libre penseur, il a rêvé durant toute son existence de publier un livre, de créer au lieu de répéter les paroles des autres, afin de laisser sa trace. N'est-il pas à l'image du Québec apparemment libre, mais dépendant et manquant de confiance en sa parole originale? Une entité qui ne réalisera jamais son rêve d'autonomie, car elle a vécu une partie de sa vie dans *Le confort et l'indifférence*[55].

Un espoir pointe toutefois à l'horizon à la toute fin du film. La culture de Rémy, symbolisée par la bibliothèque remplie de livres qui risqueraient de se retrouver aux enchères s'ils tombaient entre les mains de son fils, se voit transmise à Nathalie, l'initiatrice de Rémy; celle, aussi, qui

55. Titre d'un documentaire de Denys Arcand sur le référendum qui s'est tenu au Québec en 1980 et qui visait l'indépendance.

jettera au feu le téléphone portatif de Sébastien et bloquera le désir qui porte ce dernier vers elle, mettant ainsi un terme au comportement d'infidélité que Sébastien paraît avoir hérité de son père. C'est celle qui, dans le film, représente en quelque sorte la gardienne de cette culture en quête d'originalité et d'indépendance, dans l'attente qu'un jour peut-être...

La signature de la culture

Qu'est-ce que la culture? Au sens littéral, c'est l'art de cultiver la terre, c'est extraire de la terre son essence. Une culture est un ensemble de façons de se relier au monde, de le transformer et de l'habiter. Chaque culture est unique et se découvre à travers une signature[56] originale, un peu à la façon de notre prénom au sein de la famille. Ainsi, chacun d'entre nous possède un nom de famille et un prénom. Le nom de famille nous rattache à une histoire familiale, à une série d'ancêtres qui ont laissé leurs marques sur nous, même si nous ne le savons pas. Notre prénom, c'est notre contribution personnelle à l'histoire de la famille. C'est notre façon personnelle d'ajouter quelque chose tout en appréciant ce que l'on a reçu. Il en est de même de la culture, mais sur le plan collectif. La culture amérindienne, par exemple, c'est dire ceci: «Nous faisons partie de la grande famille humaine, mais nous faisons cadeau à l'humanité d'un petit quelque chose de différent que les autres groupes ne peuvent lui donner.» C'est la culture qui permet de dire: «Je suis humain, mais je suis aussi Tchèque» ou «Je suis humain, mais je suis aussi Hongrois».

En plus de donner une signature inimitable, la culture est aussi un regard. Par exemple, un Inuk et ses contes, sa connaissance du froid, la maîtrise de son environnement: le jeune Inuk connaît au moins dix-sept mots pour décrire la neige, et ses contes et légendes lui offrent des repères qui lui permettent de mieux comprendre et de mieux habiter le monde dans lequel il vit.

56. Idées inspirées du remarquable texte de Laurent Laplante: *La culture, c'est une signature*. Ce texte a été rédigé spécialement pour la première brigade d'information citoyenne qui a eu lieu au Bic en juin 2004, au Québec, afin de sensibiliser la population aux enjeux du néolibéralisme dans le secteur de la culture.

Malheureusement, l'originalité de la culture des peuples est menacée par la culture de masse. Ainsi, les valeurs véhiculées par la série américaine *Dallas* ne sont pas d'une grande utilité pour permettre à un Inuk de s'adapter à son milieu. L'uniformisation, bien qu'elle serve le commerce, est l'obstacle majeur à l'individuation d'un peuple. Pour préserver le Nous créateur et original d'une culture, les trois mêmes questions essentielles que celles du couple s'appliquent :

- Le *respect*. C'est ce qui incite à percevoir les cultures sans les juger supérieures ou inférieures, à écouter ce qu'elles ont à offrir au lieu de les envahir, par exemple au nom de la prétendue liberté ;
- La *confiance*. C'est de prendre appui sur sa propre originalité et non pas se fondre dans une fausse identité afin de vouloir être accepté par les autres. Elle conduit une culture à affirmer ce qu'elle est sans crainte de représailles ;
- Le *projet commun*. C'est d'aller au-delà des luttes de pouvoir issues des projections et des différences afin de tendre vers un objectif commun.

L'enjeu du Nous d'une culture, comme l'enjeu du Nous du couple, est toujours celui de la reconnaissance. Lorsque celle-ci fait défaut, cela conduit inévitablement les membres du groupe à se livrer à une lutte de pouvoir et à cesser de jouer dans la même équipe.

Il est essentiel de nourrir et de préserver l'originalité de chaque culture. Une culture, c'est, d'une certaine manière, là d'où l'on parle, c'est-à-dire le lieu d'origine du mythe personnel et collectif ; c'est, d'un point de vue métaphorique, le grenier où sont entreposées les ressources imaginaires d'un individu ou d'un peuple. *Une terre qui est cultivée est ainsi une terre habitée.* Comme les individus, les peuples cherchent leur place dans le monde et laissent leurs traces à l'aide de leur culture. Scruter les images qui les fascinent et les symboles qui se retrouvent sur la toile de leur cinéma permet, tout comme pour un individu, d'observer leurs enjeux et leurs questionnements.

La filmographie d'un peuple

Pour aller à la rencontre de l'imaginaire collectif du Québec et d'une facette de sa culture, j'ai choisi un certain nombre d'images et de symboles appartenant à notre filmographie. Bien sûr, il serait utopique et impossible d'établir une liste exhaustive de tous les films que le Québec a produits. J'ai plutôt choisi ceux qui ont frappé l'imaginaire québécois pour tenter d'extraire les thèmes essentiels qui ont marqué cette histoire et notre quête d'une place dans le monde.

Dans un premier temps, il m'apparaît essentiel d'aborder une figure qui s'est inscrite dans la culture québécoise depuis son origine, soit celle de saint Jean-Baptiste. Que peut bien nous révéler une identification à un tel personnage? Elle renvoie à deux significations essentielles: le martyr et le défricheur. Saint Jean-Baptiste est en effet celui qui défriche le chemin du Christ, puis s'offre en martyr et est décapité à cause des désirs d'une femme, Salomé. Cette image peut paraître anodine, mais le rôle de martyr consentant est omniprésent dans les premières œuvres marquantes de notre cinéma. Que l'on pense à *La petite Aurore, l'enfant martyre* ou à Donalda dans *Un homme et son péché.* Ces films apparus au milieu du siècle dernier mettent en scène une personne aux prises avec l'incapacité d'accéder à l'autonomie. Celle-ci se sacrifie totalement pour les autres sans pouvoir parler, sans être capable d'utiliser sa tête et son jugement. Aurore apparaît ainsi comme une victime volontaire soumise à toutes sortes de sévices qui la conduiront à la mort. Le crime est perpétré par sa belle-mère, qui a d'ailleurs déjà tué sa mère. Il n'est pas difficile de «traduire» cette image sur un plan historique: n'évoque-t-elle pas le meurtre de la mère patrie par une mère adoptive, à savoir l'Angleterre, qui colonisa la Nouvelle-France?

L'omniprésence de la «mauvaise» mère traduit probablement une forme de réaction inconsciente à cette nouvelle mère qui n'a jamais été véritablement intégrée et devant qui nous nous sommes comportés en enfants soumis, en colonisés. Aurore se tait par crainte de représailles, pour ne pas peiner son père et pour continuer de faire partie d'une famille. De la même façon, Donalda restera avec Séraphin pour ne pas causer de chagrin à son père alors qu'elle a presque été vendue par ce dernier. Il existe donc, au Québec, une acceptation passive de la cruauté des forts, un plaisir quasi masochiste de la part de ceux qui sont dominés; c'est d'ailleurs un parallèle que propose Denys Arcand dans un article de la revue *Parti Pris* de 1964[57].

Les repères offerts par les pères

On ne peut aborder l'individuation d'une collectivité, quelle qu'elle soit, sans observer la fonction des pères au sein de celle-ci. Dans le cinéma québécois, le père est traditionnellement un lâche, quelqu'un d'absent. Comme l'écrit Jean-Claude Jaubert: «L'absence du père, ou son inaptitude à remplir son rôle, a toujours été une constante dans le cinéma et le théâtre québécois, et les historiens sociologues ont lié ce thème à l'histoire même du Québec, abandonné par la France après la défaite des troupes françaises aux mains des Anglais, en 1759[58].»

Dans *Un homme et son péché*, le père de Donalda incite sa fille à épouser Séraphin, le notaire avare du village, en vue d'être libéré de ses dettes. Dans *La petite Aurore, l'enfant martyre*, le père, de retour à la maison, refuse de voir les blessures de sa fille et endosse ce que dit sa nouvelle femme, le bourreau d'Aurore. Plus récemment, dans *Monica la mitraille*, le père est décrit comme un lâche et un mythomane, et Monica ne pourra se fier qu'à elle-même pour faire sa place dans le monde avant de connaître, elle aussi, une fin tragique.

L'homme québécois d'aujourd'hui n'a plus de femmes à sauver ni de terres à défricher, alors que lui reste-t-il? Il lui reste peut-être à défricher son monde intérieur, à entreprendre une véritable quête au fond de lui-même afin de reprendre confiance en sa parole et en sa capacité de transmettre ses valeurs et son savoir. Dans la filmographie

57. L'article a été lu lors de l'émission *Denys Arcand, un portrait pour la radio*, de Jean-Sébastien Durocher, chaîne culturelle, Société Radio-Canada, 2004.
58. Jean-Claude Jaubert, «École québécoise», dans Alain et Odette Virnaux (dir.), *Dictionnaire du cinéma mondial*, Lonrai (France), Éditions du Rocher, 1994, p. 674.

québécoise, un des plus beaux films sur la relation père-fils est sans aucun doute *Un zoo la nuit* de Jean-Claude Lauzon. Ce film aborde la relation au père de façon très rafraîchissante et humaine. On peut dire qu'il est «thérapeutique» pour tout ce qui touche le rapport au père. Lors d'une scène particulièrement touchante au cours de laquelle Albert visite l'appartement de son fils, il lui mentionne qu'il y venait parfois simplement pour écouter le message d'accueil que celui-ci avait enregistré sur son répondeur téléphonique; s'il était plus jeune, ajoute Albert, il lui donnerait une bonne paire de claques sur les fesses pour toutes les nuits blanches qu'il lui a fait passer. Son fils lui dit alors qu'il est fou, ce à quoi le père répond quelque chose comme: «Non, je ne suis pas fou, je suis ton père et ça veut encore dire quelque chose pour moi.» La scène du fils qui assiste son père dans la mort et qui le lave est parmi les scènes les plus touchantes du cinéma québécois. *Un zoo la nuit* offre ainsi un modèle de relation père-fils porteur d'espoir; même si le parent est imparfait, il montre qu'une réelle intimité est possible entre père et fils.

Un peuple adolescent?

Cette absence de père laisse supposer que les Québécois sont culturellement attachés au monde de la mère; ce qui se traduit notamment par une propension à une forme de séduction adolescente, c'est-à-dire une séduction basée sur une faible confiance en soi qui pousse le jeune à se changer lui-même pour se conformer aux attentes des autres, à se «sur-adapter», en quelque sorte, continuellement aux autres. Le récent film *La grande séduction* illustre à merveille cette idée, nous donnant ainsi à voir une caractéristique de notre culture. On reproche souvent aux Québécois d'éviter la confrontation en se montrant apparemment d'accord, alors qu'ils offrent un autre visage par-derrière. Un peu comme un adolescent qui vit sa crise d'adolescence de façon… tranquille.

Nous avons en effet une propension à nous soumettre en vue de recevoir l'approbation de l'autre, et cela jusqu'à en perdre la tête, c'est-à-dire jusqu'à y laisser notre esprit critique. Un roman très révélateur d'Esther Croft[59], qui a remporté le prix France-Québec en 2004, met bien cet aspect en valeur. Dans ce livre, le personnage de Marc-André Ladouceur va se servir de sa parole « savante » pour séduire les gens ; parce que nous provenons d'une tradition orale et que nous subissons encore aujourd'hui les effets de notre culture religieuse, nous risquons de nous faire endoctriner plus facilement par la parole et par l'impact immédiat de l'image, m'a dit l'auteur lors d'une conversation. Ce n'est peut-être pas par hasard si de plus en plus de mouvements charismatiques prennent une place importante au Québec, que l'on pense à la secte de Roch Thériault, dit Moïse, qui a amputé le bras d'une jeune femme sans anesthésie, à l'Ordre du Temple solaire, qui a mené à la mort certains de ses membres, ou encore à Raël, faisant étrangement penser au capitaine Cosmos[60], qui œuvre dans la région de Valcourt. Au Québec, parce que nous sommes davantage susceptibles qu'ailleurs de tomber sous le joug de la séduction par la parole, nous sommes plus à même d'alimenter ce que le psychiatre et psychanalyste Jean-Yves Roy a appelé *Le syndrome du berger*[61]. Il n'y a des gourous que parce qu'il existe des adeptes ; une présence si marquée de bergers dans notre culture ne s'expliquerait-elle pas par une grande quantité de moutons ?

Elvis Gratton

Une autre figure incontournable de l'imaginaire québécois, et qui nous aide à comprendre le processus identitaire à l'œuvre dans cette culture, est celle du film *Elvis Gratton*. Ce film de Pierre Falardeau, sorti en 1981, met en scène un homme qui voue sa vie à Elvis Presley et qui ne vit que pour les Américains. Un peu comme un adolescent qui

59. Esther Croft, *De belles paroles*, Montréal, XYZ éditeur, 2004.
60. Brigitte McCann, *Raël : Journal d'une infiltrée*, Montréal, Stanké, 2004. Le capitaine Cosmos est le nom d'un personnage d'une émission télévisée destinée aux jeunes, *Les Satellipopettes*, qui a marqué l'imaginaire québécois durant les années 1970. L'émission était présentée sur les ondes de TVA.
61. Jean-Yves Roy, *Le syndrome du berger : Essai sur les dogmatismes contemporains*, Montréal, Boréal, 1998.

imiterait toute sa vie son idole préférée, Elvis Gratton est resté fixé à l'image d'Elvis et éprouve une fascination pour l'Empire américain, qui, lui, a accédé à son indépendance un certain 4 juillet 1776. Qu'est-ce qui nous fascine tant chez ce personnage? Elvis Gratton incarne peut-être l'ombre du Québécois, soit celui qui est conquis, soumis, qui n'a pas confiance en lui et qui porte un costume qui lui est étranger. Notre très grande propension pour les spectacles mettant en scène des imitateurs se comprendrait de la même façon. Pendant de nombreuses années, je suis passé chaque jour devant une salle de spectacles de Québec en me rendant à mon travail. Et j'étais toujours surpris de constater la popularité d'un spectacle musical comme *Elvis Story*, qui est à l'affiche depuis plus de dix ans et qui est justement une série d'imitations d'Elvis Presley. Il n'est point question ici de juger la qualité d'un tel spectacle, car je ne l'ai pas vu, mais je m'interroge sur une culture qui investit tant dans l'imitation…

Le défi de l'individuation d'un peuple consiste à trouver et à affirmer sa différence afin d'offrir ce qu'il est capable d'être de mieux au monde. Le défi, à l'ère de la mondialisation, du clonage et du piratage, est de proposer quelque chose d'unique qui ne pourra justement pas être copié. C'est lorsqu'une culture ou une personne est en panne de créativité qu'elle est tentée par la copie.

Le mythe du défricheur

Au Canada, comme au Québec, tout est à faire. Vivant dans un pays découvert voilà cinq siècles, nous sommes profondément marqués par le thème du défricheur, à la fois historiquement et symboliquement. La culture québécoise cherche ainsi sa place entre l'Europe et l'Amérique, et quelque part dans un Canada qui reste encore à définir, comme le disait Robert Lepage en entrevue[62]. Ce dernier mentionnait que, lors de ses ateliers de création, il proposait aux participants de faire un exercice, soit de dessiner de mémoire la

62. Émission *Indicatif présent*, animée par Marie-France Bazzo, Première Chaîne radio, Société Radio-Canada, 2004.

carte du Canada. Dans la majorité des cas, il se retrouvait avec une image diffuse, imprécise. Comme si, dans l'imaginaire collectif, le Canada restait encore à définir. Le défricheur est celui qui ose s'aventurer dans des terres inexplorées afin de créer de nouveaux chemins. En ce sens, il symbolise celui qui offre de nouvelles pistes de réponses aux grands enjeux collectifs. De ce point de vue, nous avons tous intérêt à nous comporter en défricheurs, c'est-à-dire à cultiver notre originalité à l'intérieur ou à l'extérieur de ce pays qui reste à définir.

Le succès impressionnant du théâtre québécois et du Cirque du Soleil depuis des décennies, le succès plus récent du cinéma québécois, notamment en 2004, et l'existence de créateurs comme Robert Lepage qui sont devenus des figures de la scène mondiale, sont de bons exemples de « défrichage » créatif au sein de la communauté culturelle mondiale. Contrairement à saint Jean-Baptiste, que j'évoquais précédemment, il faut peut-être se réapproprier sa tête et affirmer son identité au lieu de sombrer dans la soumission et de se comporter en victime. « Il faut arrêter de penser le pays en pauvre », dit Alexis à Donalda dans la version la plus récente d'*Un homme et son péché* réalisée par Charles Binamé.

Chaque pays a ainsi son histoire et son « livre d'images ». L'énergie de l'autonomie est inévitable non seulement chez l'individu, mais aussi dans le cœur de n'importe quelle culture. Nos images nous montrent les traces de notre destin potentiel. Oserai-je dire, avec une pointe d'humour, que je me suis souvent demandé si le fait que les Québécois ont arrêté la date du 1er juillet, fête nationale du Canada, pour déménager[63] n'était pas le signe de quelque chose...

63. Au Québec, il existe une tradition voulant que le 1er juillet de chaque année, date de la fête nationale du Canada, la majorité des baux expirent. Une grande partie des Québécois qui veulent déménager le font donc ce jour-là.

L'archétype de la maison

Sur le plan collectif, le pays, la terre natale, exerce un pouvoir de fascination très grand. Le véritable pays est ce qui vit au fond de nous, disait en ce sens Gilles Vigneault. Sur le plan personnel, la maison exerce la même fascination en ce qui concerne les origines. La maison est l'endroit où tout a débuté, soutient le psychanalyste D. W. Winnicott. Elle constitue un espace potentiel qui nous donne le sentiment que nous avons notre place et qui définit notre origine, et, par le fait même, notre originalité. Bien souvent, nous avons perdu ce sentiment, si bien que nous passons notre vie à rechercher notre origine, mais nous le faisons en nous dispersant dans une foule d'activités extérieures au lieu de nous tourner vers notre intériorité.

L'archétype de la maison symbolise l'énergie liée au désir bien réel «d'habiter» totalement son existence. En cette ère virtuelle de déracinement, le principal obstacle qui nous empêche de satisfaire ce désir est l'illusion de liberté que nous donne la consommation; car comment pourrions-nous jouir de ce que nous avons lorsque nous sommes continuellement en train de chercher ailleurs de nouvelles sensations que nous voulons toujours agréables? Nous désertons trop souvent une partie de notre vie au profit d'une apparente liberté de choix. Comme le dit le philosophe français André Comte-Sponville[64]: «Le réel est à prendre ou à laisser. La vie est à prendre ou à laisser. Celui qui n'aimerait que le bonheur n'aimerait pas la vie, et s'interdirait par là d'être heureux. L'erreur est de vouloir trier, comme aux étalages du réel. La vie n'est pas un supermarché, dont nous serions les clients.»

Notre quête obsessionnelle pour posséder non seulement des biens matériels, mais aussi les êtres que nous aimons, compte parmi les obstacles essentiels qui nous empêchent d'intégrer cet archétype; car le pendant négatif de l'archétype de l'habitation, c'est le désir de posséder. C'est justement lorsque nous n'habitons pas notre vie que nous cherchons à posséder celle des autres. Habiter sans

64. André COMTE-SPONVILLE, *Impromptus*, Paris, Presses Universitaires de France, 1996.

posséder, voilà un des défis majeurs que nous lance notre époque de «propriété privée».

L'essence même de l'habitation est un état psychologique qui nous conduit à embrasser la totalité de notre expérience. Pour ce faire, nous devons justement prendre conscience de ce qui nous possède. En amour, au travail, dans nos relations, sur le plan mondial, lorsque nous cherchons à posséder, c'est que nous sommes d'abord possédés par quelque chose. Qui possède quoi? Est-ce que c'est l'homme d'affaires vouant toute sa vie et ses énergies à accumuler des millions qui possède une fortune? Ou est-ce le désir de posséder qui possède l'homme d'affaires? *Il nous faut remplacer l'idée de posséder par l'idée d'habiter.* Pour revenir au parcours du héros, il faut se rappeler qu'au retour de ses aventures, le héros porte le monde en lui. Au terme de son parcours d'individuation, il revient à la maison avec détachement et confiance. En ce sens, il est un symbole de celui qui habite sa vie après avoir traversé une foule d'épreuves qui l'ont dépouillé de toutes ses illusions. Il revient habiter sa terre natale, car il a pris conscience que, de fait, en ne possédant rien, il a paradoxalement accès à tout.

L'invasion des marchés

L'énergie de la possession trouve une forme universelle dans la figure de l'avare, que l'on pense à l'avare de Molière, à monsieur Scrooge ou encore au Séraphin de notre culture québécoise. L'avare symbolise celui qui ne peut habiter sa vie, car il cherche désespérément à posséder le monde. Et comme il n'habite pas sa vie, il est possédé par la très grande peur de perdre ses possessions. La figure de l'avare s'est multipliée sur la scène mondiale; elle se traduit par une individuation bloquée due à l'incapacité d'habiter, de transmettre et de partager. Il peut sembler exagéré de parler d'individuation collective et de personnaliser les collectivités comme je le fais dans ce chapitre. C'est pourtant ce qui arrive dans certaines grandes multinationales qui ont, de fait, tous les droits et libertés accordés à une personne «morale» et qui se comportent trop souvent comme le personnage de l'avare.

Dans le film très percutant *The Corporation*, les réalisateurs dressent un profil pathologique de ces grandes multinationales. Ils font même plus que dénoncer le vice d'avarice. Le fonctionnement de certaines de ces entreprises, nous disent-ils, s'apparente en effet à celui du psychopathe en se caractérisant essentiellement par la recherche de profits personnels au détriment des règles sociales. De fait, lorsque le seul but devient le profit, tous les moyens sont utilisés pour y arriver, et ce, bien souvent au détriment de l'éthique. Même si les employés de ces entreprises peuvent se comporter en bons pères de famille et en citoyens honnêtes dans leur vie personnelle, leur vie professionnelle les conduit à agir comme des psychopathes, car l'entité dans laquelle ils travaillent est de nature psychopathique. Aussi, une des caractéristiques essentielles des grandes entreprises est que leurs employés ne peuvent être poursuivis à titre individuel, ce qui peut donner lieu à une très grande déresponsabilisation et à des dérapages moraux, comme les médias le dénoncent régulièrement.

Après avoir vu ce film, j'ai mieux compris ma réaction d'opposition au Sommet des Amériques qui s'est tenu au printemps 2001 à Québec. Un sommet qui visait à parler de cette prétendue ouverture au marché mondial, mais durant lequel tous les petits commerçants de la rue Saint-Jean, à Québec, ont dû se barricader et fermer leurs portes. Voilà une belle image de la situation : tandis que les grands discutent et s'enrichissent, les petits s'appauvrissent et ne sont pas entendus.

J'ai mentionné dans ce livre que certains films transforment radicalement notre vision du monde. Eh bien, *The Corporation* a véritablement créé un avant et un après dans ma perception de la mondialisation des marchés. Je n'ai pas été le seul dans ce cas, car, lorsque j'ai vu le film, la projection fut suivie d'applaudissements, ce qui est assez rare. En quittant le petit cinéma de quartier, j'avais envie de faire quelque chose et de m'engager socialement. Voilà ce que j'attends de toute œuvre, quelle qu'elle soit : qu'elle m'inspire au point de me pousser à agir dans le sens de mes valeurs. C'est ce que les mythes pouvaient faire autrefois. Une œuvre doit inciter à créer un monde meilleur.

Hollywood et le dressage de l'œil

Après la lune, il semble que les grandes sociétés américaines ont décidé de conquérir les territoires de notre imaginaire. Nombre d'entreprises hollywoodiennes font aujourd'hui de la publicité pour une foule de produits à l'intérieur même des scènes de films. La publicité subliminale s'infiltre ainsi dans les images de fiction. La vente de cigarettes a d'ailleurs augmenté au cours des années 1950, à une époque où les grandes vedettes étaient bien payées pour allumer leurs cigarettes à des moments stratégiques au grand écran. En scrutant la toile de cinéma hollywoodienne, je ne peux m'empêcher de constater son invasion par les valeurs que sont l'individualisme et le capitalisme. La « vedettisation » des stars repose d'ailleurs sur un procédé simple : le *reaction shot*. Ce procédé, qui a été analysé en détail par Paul Warren[65], consiste à arrimer notre regard à un aspect précis de l'image choisi par le réalisateur. Cela se fait notamment en nous associant, nous, spectateurs, aux réactions des personnages secondaires en vue de nous obliger à adhérer à ce que le personnage principal énonce. Selon Warren, le *reaction shot* a été utilisé dès 1934 par la réalisatrice Leni Riefenstahl, dans *Le triomphe de la volonté*, et il a participé à conduire tout un peuple à idéaliser Hitler. Le procédé a ensuite été affiné par les grandes compagnies de production hollywoodiennes. C'est un procédé qui nous prive de notre point de vue en nous imposant une façon de voir unique. Voilà comment le cinéma peut devenir un instrument de propagande silencieuse, ainsi que le souligne Ignacio Ramonet. Nous le savons depuis longtemps. En temps de guerre, nous fabriquons des bombes et des images. La nouvelle arme, c'est l'image qui s'infiltre dans notre cerveau tel un cheval de Troie, d'où l'importance de garder un esprit critique vis-à-vis des dites images. Le livre troublant de Jean-Michel Valentin[66] montre d'ailleurs très bien comment les politiques d'interventions mondiales des États-Unis

65. Paul Warren, *Le secret du star system : Le dressage de l'œil*, Montréal, l'Hexagone, 2002.
66. Jean-Michel Valentin, *Hollywood, le Pentagone et Washington*, Paris, Autrement Frontières, 2003.

sont souvent intégrées aux scripts des grandes productions, lorsque celles-ci sont financées par la défense nationale.

Les pistes offertes par l'imagination

Récemment, j'ai entendu parler d'une façon extrêmement originale de faire du « terrorisme culturel » : un homme a invité les gens à déposer quelque part dans leur ville, tous les 11 septembre, un livre qui a eu l'effet d'une bombe dans leur vie. Voilà une façon intéressante de faire preuve d'imagination devant les défis que nous pose le monde d'aujourd'hui !

Bien sûr, nous pouvons sombrer dans le désespoir en songeant à l'énorme pouvoir de l'image et de l'avarice dans nos sociétés. Mais il y a de l'espoir dans les histoires et dans l'imaginaire. Je crois davantage au pouvoir de l'imagination qu'à la soumission passive aux images. J'ai foi dans le processus de créativité à l'œuvre dans l'inconscient collectif qui alimente l'individuation. Pour permettre la mise en place de nouvelles valeurs et favoriser l'individuation d'une culture, il faut faire preuve d'imagination. À ce propos, j'aime bien la démarche de Michael Moore, le réalisateur de deux documentaires remarquables, *Bowling for Columbine*, qui a remporté un Oscar en 2003, et *Fahrenheit 9/11*, qui a été couronné de la Palme d'or au Festival de Cannes en 2004. Dans l'une de ses interventions visant à sensibiliser la population à la propagation des valeurs commerciales, Michael Moore a demandé à des gens atteints de cancer à la gorge de venir, avec leurs appareils vocaux, chanter des airs de Noël devant des employés d'une compagnie de tabac. Voilà une façon originale et créative de sensibiliser la population aux abus des grandes sociétés.

Faire preuve d'imagination, c'est aussi chercher au-delà des images qui nous conditionnent une sollicitation voilée. Nous n'avons pas idée du nombre de sollicitations visant à nous faire acheter quelque chose ou utiliser un service quelconque dont nous sommes inconsciemment l'objet à chaque minute. Pour cette raison, nous avons plus que jamais besoin de mieux comprendre la nature humaine, car le seul vrai danger est l'homme lui-même. Seule devant l'insatiable besoin de profit de l'être humain, toute la planète est menacée. La question du destin collectif se pose de manière urgente. Nous ne pouvons plus ignorer les conséquences de nos choix sur les autres parties de la terre. Maintenant que les distances semblent diminuer, comment allons-nous nous organiser pour faire quelque chose ensemble ? Comment allons-nous pouvoir être intelligents collectivement ?

C'est tout le défi : trouver des valeurs universelles qui ne briment pas les singularités. Je pense par exemple au travail acharné de Robert Jasmin et à son engagement dans ATTAC Québec. L'idée essentielle de cet organisme est de créer une taxe infime sur l'ensemble des transactions qui se font dans le monde de façon à générer des fonds mondiaux qui permettraient de venir en aide aux pays les plus pauvres. Notre cour s'agrandit et nous avons de nouveaux voisins. Nous sommes à l'ère où il importe de revoir la notion de race pour privilégier celles de culture et de fraternité. Il nous appartient de penser globalement et de trouver une façon de parler des hommes autrement. Notre nouvelle maison, c'est la terre, et chaque culture a quelque chose à apporter dans cette nouvelle famille reconstituée.

La responsabilité sociale

Nous avons tous un rôle à jouer afin de permettre à notre culture et au pays où nous habitons de progresser dans leur individuation et ainsi d'offrir ce petit quelque chose d'unique dans la grande famille mondiale. Il faut prendre conscience des risques de voir sombrer nos cultures dans la privatisation, de voir nos drapeaux devenir des logos publicitaires. Certes, notre marge de manœuvre est mince devant le pouvoir des grandes entreprises, mais en se regroupant et en allant au-delà de la simple manifestation passive, une action créative et solidaire est possible. Un exemple intéressant de responsabilité sociale face aux écueils du néolibéralisme s'est formé dans la région du Bic, au Québec, en juin 2004. Le projet des BIC (Brigades d'interventions citoyennes) est né d'un double constat : la menace du néolibéralisme sur les acquis démocratiques de nos sociétés et l'absence d'information véritable purifiée des fausses images véhiculées par les médias. L'idée a été lancée et adoptée lors d'une rencontre internationale de l'Alliance sociale continentale à La Havane, dans le cadre de la lutte contre la Zone de libre-échange des Amériques (ZLEA). Ces brigades s'inspirent de celles qui ont permis l'alphabétisation de la population cubaine durant les années 1960, une opération jugée inégalée jusqu'à maintenant, même par les Nations unies. Il s'agit de donner à la population les instruments qui lui permettront de «lire» l'actualité de manière à retrouver son pouvoir citoyen sur les événements.

Je trouve encourageant de voir de tels mouvements et, surtout, de constater l'engagement des jeunes en cette matière. Parmi les participants et participantes de la première brigade en juin 2004, il y avait une très forte représentation de ce groupe d'âge. Par ailleurs, j'ai eu la chance de visionner à plusieurs reprises le film *The Corporation* et j'ai pu observer la présence de nombreux jeunes dans la salle. La nouvelle génération, contrairement à ce que décrit Denys Arcand dans son film *Les invasions barbares,* se mobilise contre les grandes invasions financières. C'est aussi ce qu'observe Naomi Klein, qui forme son hypothèse principale dans son livre *No Logo: La tyrannie des marques*[67].

Il nous revient à tous et à toutes de transmettre à nos jeunes ces valeurs. Il y a des solutions possibles à l'individualisme, au mythe du *self-made-man* et à la domination des valeurs commerciales qui nous divisent et qui sont des obstacles au déploiement de notre originalité personnelle et collective.

Le monde de demain sera le résultat de l'action concrète et immédiate de chacun de nous: de quoi voulons-nous que nos enfants et nos petits-enfants se souviennent? Pour nous réaliser véritablement, nous devons nous inscrire dans une filiation. Nous sommes concernés par ce qui arrive à nos voisins et à nos descendants. *Le Nous est ainsi plus grand que la somme de ses parties.* Dès que je suis en présence d'un

67. Naomi KLEIN, *No Logo: La tyrannie des marques,* Montréal, Leméac, 2001, p. 20.

autre, j'ai une occasion d'être plus que moi: je deviens six milliards d'humains. Poser sa petite pierre dans le grand édifice du monde, c'est se poser cette simple petite question: qu'ai-je fait aujourd'hui pour que les enfants de demain vivent mieux? Plus près de nous, dans le quotidien, l'engagement social peut être très simple. Je suggère d'ailleurs parfois aux gens déprimés de s'engager dans une cause qui les dépasse au lieu de se centrer uniquement sur eux-mêmes, car le sens d'une vie passe par une relation à plus grand que soi.

L'amitié est une langue universelle

Au-delà de la grande invasion barbare qu'est le capitalisme, le film *Les invasions barbares* de Denys Arcand nous montre que la fraternité est une valeur phare. La compagnie d'un ami ne s'achète pas et il y a de l'espoir pour que des valeurs autres que les valeurs économiques prennent plus de place.

La toile mondiale du cinéma pour l'année 2004 laisse penser que la valeur de la fraternité s'impose aussi comme une option féconde. Des films comme *Le retour du roi*, le troisième et dernier volet du *Seigneur des anneaux*, où il est question, justement, de la quête héroïque fraternelle et du retour d'un roi dans sa communauté, *Les invasions barbares* et *Traduction infidèle* de Sophia Coppola, qui ont été primés aux Oscar en 2004, sont centrés sur cette valeur.

L'individuation collective n'est pas une notion abstraite, elle passe par des actions individuelles concrètes. J'ai voulu montrer dans ce chapitre la nécessité qu'il y a à ce que chacun mène son propre parcours héroïque pour tous, et non pour lui seul, si l'on veut que la collectivité en soit enrichie. Tel est le thème essentiel du parcours héroïque de Frodon dans la trilogie du *Seigneur des anneaux*. Le pouvoir que donne l'anneau est enivrant et Frodon doit apprendre à le laisser aller pour permettre à la communauté de préserver son harmonie. Le déséquilibre vient en effet de ce qu'une seule personne possède l'anneau, car elle finit alors par être possédée par lui.

Jouer son rôle

Vient un temps où le rideau se lève et où il nous faut jouer notre rôle même si nous savons que nous devrons partir avant la fin de la représentation. L'individuation personnelle est un acte qui concerne aussi la collectivité, et ce n'est pas parce que nous ignorons quelle sera la suite de l'histoire que nous devons uniquement nous préoccuper de notre profit personnel. Nous devons au contraire songer à ceux qui, après notre départ, donneront suite à la grande histoire du monde. Il nous faut prendre notre vie en main pour que la vie de demain suive son cours; apprendre à nous connaître et épouser les rythmes de notre individuation en vue de bien dire notre réplique dans le grand film du monde. Nous peinons toute notre vie pour devenir ce que nous sommes, mais à notre mort nous ne serons plus ce que nous sommes. Avec notre dernier souffle, la transformation de nos molécules et le souvenir que nous laisserons à notre communauté, nous deviendrons à notre tour un mythe propre à générer de nouvelles questions originales afin que le monde devienne, espérons-le, un peu plus ce qu'il doit être.

CONCLUSION

En terminant ce livre, j'aime imaginer que, quelque part dans le fond d'un appartement sombre, une histoire s'écrit sous la plume d'un auteur encore inconnu; que, dans la cuisine envahie par la vaisselle d'une autre maison, un scénariste prépare un film sur le coin d'une table, un film qui traversera nos écrans dans quelques années; que partout ailleurs dans la ville de nouvelles vies s'amorcent, chacune porteuse de tout un lot de questions personnelles et originales. Au moment où vous lisez ces lignes, une petite fille demande peut-être à sa mère: «Pourquoi les vaches ont des taches?» Au même moment, d'autres histoires se terminent, dont certaines volontairement. Aujourd'hui, il y aura eu 250 tentatives de suicide au Québec seulement. De ce nombre, quatre auront vu leurs auteurs terminer prématurément leur histoire. Des personnes qui n'auront pas trouvé d'oreilles attentives, des vies que la beauté d'un récit, le soutien d'un ami ou l'encouragement d'un tuteur de résilience n'auront pas su interpeller.

Récemment, j'écoutais un reportage sur la construction de murs pour empêcher les gens de se lancer en bas des ponts. Voilà un bon exemple de la façon dont nous abordons de plus en plus les problèmes du sens de la vie: par une approche concrète. Je ne crois pas qu'un mur en béton puisse à lui seul empêcher un être de se lancer dans le vide. Je crois davantage aux *attentats culturels*. Pourquoi ne pas graver ou peindre sur ces ponts des adages, des poèmes, des citations qui ont eu l'effet de bombes dans nos vies?

Pourquoi le processus d'individuation échoue-t-il chez certains d'entre nous? Comment le vide de sens en arrive-t-il à dominer nos existences? Cela demeure pour moi un mystère. À travers ce livre, je n'ai pas voulu apporter de réponse définitive à la question de l'individuation, mais redonner un espace à cet élan original et personnel qui est trop souvent étouffé. Je suis conscient de m'être aventuré sur un terrain vaste et complexe. Malgré la connaissance approfondie que nous avons acquise du monde qui nous entoure, de nouvelles terres restent à défricher. Elles ne nous sont plus extérieures. Aujourd'hui, ces nouvelles terres sont intérieures. Ce ne sont plus des forêts, des continents qu'il nous faut découvrir, ce sont nos identités. Pionniers dans le défrichage de notre être profond, nous devons construire de nouvelles routes vers nous-mêmes. J'ai voulu montrer que le défrichage de nos identités tant personnelles que collectives peut emprunter les sentiers de la culture. La culture foisonne de pistes à explorer. La vie est dans les livres, les films, le théâtre, partout la beauté nous attend.

Certes, nous vivons à une époque marquée par la guerre et les conflits de toutes sortes, mais je crois que la beauté peut sauver le monde. Dans ce livre, j'ai souhaité transmettre un message qui me paraît essentiel: il nous faut vivre et nous servir de la culture au lieu de nous laisser exploiter par la culture de masse et la consommation.

De nombreuses œuvres m'ont trouvé et m'ont donné des repères dans la quête que je mène pour définir ma place dans le monde et mon questionnement original. La série télévisée *S.O.S. j'écoute* de Janette Bertrand m'a fait découvrir l'écoute et aussi ma vocation. Grâce à cette émission de télévision, l'écoute est devenue pour moi une attitude face au monde, un mode de relation. Écouter la vie constitue une autre part importante de mon mythe personnel, car je suis aussi musicien. Entendre la musique d'une personne au-delà des mots, au-delà de ce qui est montré, constitue l'essence même de mon travail de psychologue.

Plus tard dans mon existence, *Le fabuleux destin d'Amélie Poulain* m'a fait comprendre que je ne devais pas m'oublier complètement derrière les autres si je voulais demeurer en relation. Je devais cesser de me cacher et affirmer ce que je suis le plus simplement possible. J'ai compris que, si je me transformais en flaque d'eau dès que quelqu'un s'approchait de moi, aucune vraie relation ne serait possible. *La guerre des étoiles* et *La matrice* m'ont enseigné l'importance de jouer dans la vie au lieu «d'être joué» par les outils que j'utilise. Le film *La société des poètes disparus* m'a foudroyé au point qu'il m'a aidé à sortir de ma passivité et à m'engager dans la quête du regard unique qui vit au fond de moi. *Un homme d'exception* m'a aidé à jouer dans la même équipe que ma partenaire au cours du long voyage si difficile au pays du Nous. *Ponette* m'a confronté à mes propres peurs de l'abandon et à l'importance de la résilience devant les pertes inévitables de la vie. *Rouge* m'a confirmé à quel point la question du sens et les subtils fils de l'âme qui tentent de nous relier les uns aux autres sont des occasions d'apprendre son rôle. L'individuation tente sa chance au fil des rendez-vous avec les autres, cherchant à tisser un véritable lien fraternel entre les êtres. C'est cette fraternité qui nous permet d'affronter la mort, comme *Les invasions barbares* l'illustre magistralement; ce film m'a réconcilié avec l'idée de la mort et l'importance de la transmission. C'est encore cette fraternité qui tisse l'identité et la culture d'un peuple qui a toujours besoin de se construire au sein d'un monde en proie à une mondialisation croissante.

Pourquoi tout ce travail? J'écris pour apprendre et je tiens entre les mains le livre que j'avais besoin de lire pour mieux comprendre l'individuation. J'aimerais aussi que ce livre vous guide dans la recherche de vous-même. Il y a des livres qui nous cherchent et ce livre m'a trouvé au fur et à mesure qu'il s'est construit. Il est un peu comme une lettre en provenance du futur Jean-Francois Vézina, un homme qui m'est encore étranger, mais dont je sens les traces dans les lignes couchées sur le papier au cours de ces deux dernières années. Ce livre est personnel, au sens où il est une tentative authentique de toucher aux questions les plus universelles. Au fond, mes questions ressemblent aux vôtres... Ne vivons-nous pas tous un peu la même histoire avec des personnages et des lieux différents? C'est probablement en cela que réside le véritable sens de l'individuation: chercher l'universel en chaque personne.

J'ai choisi les sentiers du cinéma pour mieux comprendre l'identité. Mais pour certains, la toile du cinéma est un écran placé entre soi et le monde, qui protège de ce monde, voire qui empêche de vivre. Voilà le paradoxe qu'il y a à se réaliser dans un monde d'images. Pour ce faire, nous devons précisément nous occuper des illusions qui nous sont présentées sur l'écran ; nous devons nous occuper de ces grands rêves collectifs pour qu'ils ne deviennent pas nos cauchemars ; nous devons interroger nos mythes personnels plutôt que de nous contenter d'être spectateurs d'histoires que nous ignorons. Nous vivons dans un monde d'images bien réelles qui peuvent terrasser notre psyché si nous n'y réfléchissons pas et si nous ne les métabolisons pas psychologiquement. Cette réflexion est la seule façon de ne pas sombrer dans une existence virtuelle qui nous fait mourir à dix-huit ans, mais ne nous enterre qu'à quatre-vingts...

Nous avons tous le potentiel de mourir avant qu'il en soit temps et de passer à côté de notre vie. Cette femme anonyme qui voulait s'enlever la vie par une nuit froide de janvier est potentiellement en chacun de nous. Elle incarne le vide qui menace de nous aspirer à tout moment si nous ne saisissons pas notre vie à bras-le-corps et n'inventons pas notre mythe.

Il est certain que l'Univers peut se passer de nous, car il peut recommencer avec quelqu'un d'autre. La vie se fiche que nous participions ou non à son mouvement. Mais nous avons la chance d'être le sel de l'Univers, de pouvoir donner du goût au monde. Sans nos pas de danse, le monde serait immobile ; sans notre rire, le monde serait triste ; sans notre peinture, le monde manquerait de couleur ; sans notre musique, le monde serait silencieux ; sans nos histoires, le monde serait vidé de son sens.

En définitive, je ne crois pas que nous puissions passer à côté de notre vie. En revanche, je crois que, parce que nous avons peur de souffrir ou parce que nous évitons de répondre aux appels que la vie nous lance à travers les rendez-vous avec des livres qui nous bousculent et des films qui nous bouleversent, c'est la vie elle-même qui risque de passer à côté de nous...

FILMS ET RÉCITS CITÉS

Films

Elvis Gratton (Canada[68]), Pierre Falardeau, 1981
Harry Potter (États-Unis), Chris Columbus, 2002
L'adversaire (France, Suisse, Espagne), Nicole Garcia, 2002
La grande séduction (Canada), Jean-François Pouliot, 2003
La guerre des étoiles (États-Unis), George Lucas, 1977
La matrice (États-Unis), Andy et Larry Wachowski, 1999
L'amour est un pouvoir sacré (France, Danemark), Lars Von Trier, 1996
La petite Aurore, l'enfant martyre (Canada), Jean-Yves Bigras, Canada, 1952
La turbulence des fluides (Canada, France), Manon Briand, 2002
La vie est belle (Italie), Roberto Benigni, 1997
Le déclin de l'empire américain (Canada), Denys Arcand, 1986
Le fabuleux destin d'Amélie Poulain (France, Allemagne), Jean-Pierre Jeunet, 2001
Le pianiste (France, Allemagne, Pologne, Angleterre), Roman Polanski, 2001
Le projet d'Alexandra (Australie), Rolf de Heer, 2003
Les aventuriers de l'arche perdue (États-Unis), Steven Spielberg, 1981
Le seigneur des anneaux (Nouvelle-Zélande, États-Unis), Peter Jackson, 2001, 2002, 2003
Les invasions barbares (Canada, France), Denys Arcand, 2002

68. Principaux pays producteurs.

Le Titanic (États-Unis), James Cameron, 1997
Le triomphe de la volonté (Allemagne), Leni Riefenstahl, 1934
L'homme qui plantait des arbres (Canada), Frederick Back, 1987
Monica la mitraille (Canada), Pierre Houle, 2004
Ponette (France), Jacques Doillon, 1996
Rouge (France, Pologne, Suisse), Krzysztof Kieslowski, 1996
Séraphin (Canada), Paul Gury, 1950
The Corporation (Canada), Jennifer Abbott, Mark Achba et Joel Bakan, 2004
Thomas est amoureux (Belgique, France), Pierre-Paul Renders, 2000
Traduction infidèle (États-Unis), Sofia Coppola, 2003
Un homme et son péché (Canada), Paul Gury, 1949
Un homme et son péché (Canada), Charles Binamé, 2002
Un homme et une femme (France), Claude Lelouch, 1966
Un zoo la nuit (Canada), Jean-Claude Lauzon, 1987
Zelig (États-Unis), Woody Allen, 1983

Émissions de télévision

La vie la vie, Stéphane Bourguignon, diffusée en 2001 et 2002, Société Radio-Canada
S.O.S. j'écoute, Janette Bertrand, diffusée entre 1982 et 1984, Télé-Québec

Pièce de théâtre

Lentement la beauté, création collective du Théâtre Niveau Parking, Québec, 2002

BIBLIOGRAPHIE*

HAUKE, Christopher et Ian ALISTER, *Jung and film: Post-jungian Takes on the moving images*, East Sussex, Brunner-Routledge, 2001.

HILLMAN, James, *Le code caché de votre destin*, Paris, Robert Laffont, 1999.

JACOBY, Mario, *Individuation and Narcissism: The Psychology of Self in Jung and Kohut*, Londres, Routledge, 1990.

KLEINBAUM N.H., *Le cercle des poètes disparus*, Paris, Michel Laffon, 1990.

RAMONET, Ignacio, *Propagandes silencieuses: masses, télévision, cinéma*, Paris, Éditions Gallilée, 2000.

ROY, Alain, *et al.*, «Les dessous de la télé-réalité», *L'inconvénient*, février 2004.

SALOMON, Paule, *La sainte folie du couple*, Paris, Albin Michel, 1994.

SERVAN-SCHREIBER, Jean-Louis, *Le nouvel art du temps: Contre le stress*, Paris, LGF-Livre de poche, 2002.

SAINT-EXUPÉRY, Antoine de, *Citadelle*, Paris, Gallimard, 1948.

TISSERONS, Serge, *Les Bienfaits des images*, Paris, Odile Jacob, 2002.

VÉZINA, Jean-François, «Les oracles de l'écran: le cinéma comme lieu d'individuation et de synchronicités culturelles», *La Vouivre*, automne 2004.

VIORST, Judith, *Les renoncements nécessaires*, Paris, Robert Laffont, 1988.

* Cette bibliographie complète les références données dans les notes de bas de page.

REMERCIEMENTS

Je ne pourrais terminer cet ouvrage sans remercier les personnes qui y ont apporté leur petite touche d'originalité. L'écriture de chaque livre est une histoire faite de rencontres et, contrairement à ce qui est mentionné à la fin d'un film, toute ressemblance entre les personnes dont il est question dans ce livre et celles de la vie réelle n'est pas le fruit du hasard.

Tout d'abord, il y a eu la rencontre avec Anique Poitras. Elle s'est adressée à moi alors qu'elle voulait créer un personnage de psychologue et que j'avais moi-même besoin de témoignages de personnes qui ont été transformées par les œuvres. Je me suis donc retrouvé personnage dans un de ses romans, alors qu'elle-même s'est intégrée au présent essai à travers sa touchante histoire de vie. Au fil de nos échanges, elle est devenue une véritable complice d'écriture, et une belle amitié s'est développée entre nous. Je lui suis très reconnaissant pour sa générosité, ses nombreuses lectures et ses commentaires judicieux.

Puis il y a eu la rencontre avec Andrée Fortin. Elle est venue me trouver à la fin d'une conférence alors que j'avais justement besoin d'une personne pour réviser mon livre. Correctrice et fondatrice de *La boîte à mots,* elle a créé son entreprise de révision linguistique à la suite du travail sur le présent ouvrage. Ses corrections soignées de la première version, sa rigueur et son soutien ont été fortement appréciés.

Je ne saurais oublier ici mes habituels compagnons de quête : Jean Désy, mon ami le nomade, pour une première lecture encourageante; Robert Jasmin, pour ses conversations stimulantes et le généreux partage de ses idées originales; Pierre Ringuette, pour ses traductions symboliques absolument géniales et ses suggestions pertinentes. Il y a aussi Esther Croft et son regard lucide sur le monde qui a enrichi ma réflexion; Sophie Lorgeau, pour ses judicieux conseils; Rachel Fontaine, pour le don généreux des idées fondamentales dans la quatrième de couverture; Johanne Vézina, pour ses suggestions pertinentes; et Kim Francoeur, pour avoir inspiré plusieurs idées essentielles de ce livre.

Aux Éditions de l'Homme à Montréal, je suis reconnaissant envers Maryse Barbance, qui a fait un travail rigoureux de révision. Je remercie aussi Pierre Bourdon, Erwan Leseul et Linda Nantel pour leur confiance soutenue, ainsi que Fabienne Boucher pour son travail minutieux. Je souligne également le professionnalisme de la formidable équipe des Éditions de l'Homme en France, Huguette Laurent et François Laurent, qui me soutiennent et facilitent la diffusion de mes idées là-bas.

Comme dans toutes les histoires, les décors et les personnages secondaires sont aussi très importants. Ce livre a été écrit en bonne partie en voyage et je tiens à remercier les compagnes et compagnons de route qui ont influencé son écriture. Tout d'abord Sandrine, dont les idées échangées à la belle étoile sur les pontons du *Lagounarium* de Bora Bora ainsi que la petite communauté que nous avons créée alors que le monde était terrorisé par les attentats de septembre 2001 ont permis l'émergence de riches idées en tout début de parcours. Puis, Charly, de la superbe habitation Diavet en Guadeloupe, qui a été l'hôte de mes premiers chapitres. Pour ceux qui passeront dans cette région, il ne faut absolument pas manquer les délicieuses confitures à la mangue de Charly. En Italie, je suis reconnaissant à David Peat et son séminaire stimulant dans le charmant village de Pari, en plein cœur de la verdoyante Toscane. En Suisse, je remercie affectueusement Lorraine et Paul, pour leur accueil chaleureux et les conversations riches et inspirantes. En France, je souligne le précieux apport de Jacqueline Kelen pour m'avoir épargné un titre inadéquat. En Belgique, je remercie les artisans du groupe Tetra, Dominique et Patricia, qui sont devenus de véritables partenaires de quête. Puis au Danemark, sur la charmante petite île de Bornholm, je suis aussi reconnaissant à cet hôte anonyme qui m'a offert une merveilleuse petite chambre, avec vue sur la lune, où j'ai pu récolter quelques belles idées…

Bien sûr, toutes les histoires ont leur trame sonore. Je suis reconnaissant à Glenn Gould pour sa musique inspirante, qui m'a aidé à structurer le livre alors que j'étais dans le chaos des idées. Je tiens à remercier aussi les lecteurs et lectrices qui nourrissent ma réflexion par leurs courriels et leurs lettres. Je ne peux répondre à tous personnellement, mais je les lis avec attention. Je suis aussi reconnaissant à ceux et à celles qui ont osé poser leurs questions originales lors de mes conférences et de mes ateliers et qui, sans le savoir, ont permis à beaucoup d'idées d'émerger.

Mais le plus beau pays visité au cours de la rédaction de ce livre demeure le pays de l'amour avec Isabelle, ma compagne de vie. Elle tient maintenant l'un des rôles principaux dans le film de ma vie. Son affection et sa douce folie ont apaisé les moments de doute inévitables dans l'écriture d'un ouvrage. Ses escales de tendresse ont permis à ce livre d'arriver finalement à bon port et de se retrouver entre vos mains afin que vous puissiez peut-être, vous aussi, tomber amoureux de votre propre histoire…

Vieux-Port de Québec
juin 2004

POUR COMMUNIQUER AVEC L'AUTEUR

Sur le site www.jfvezina.net, vous trouverez plusieurs compléments à ce livre :

- un forum de discussion sur les films et la synchronicité ;
- une trame sonore composée parallèlement à l'écriture de ce livre et pouvant être téléchargée ;
- des images des lieux où ce livre a été écrit ;
- l'horaire des ateliers Projections : Psychologie et cinéma, ainsi que les différents ateliers et conférences disponibles ;
- des émissions radio Projections peuvent être téléchargées.

Pour toute autre information

Maison de psychologie Salaberry
a/s Jean-François Vézina
975, rue de Salaberry
Québec (Québec) G1R 2V4
Courriel : jf@jfvezina.net

TABLE DES MATIÈRES

CHAPITRE 2
L'APPRENTISSAGE DE SON MYTHE PERSONNEL 47

CHAPITRE 3
LE MYTHE DE SA VIE AU TRAVAIL........ 79

Achevé d'imprimer au Canada
en septembre 2004
sur les presses des Imprimeries Transcontinental Inc.